Danièle Starenkyj

LA VIE
en abondance

Méditations sur les lois de la santé

ORION

Photo-couverture: Wayne Lankinen/Valan Photos

3ᵉ édition, février 1990

Publications ORION inc
C.P. 1280, Richmond, (Québec),
Canada J0B 2H0

ISBN 2-89124-009-X

à mon père,
avec amour

INTRODUCTION

L'Occident a changé. Il semble avoir en grande partie délaissé un passé chrétien et s'être tourné avec avidité vers l'Orient, ses philosophies, ses ascèses, ses techniques et ses modes d'alimentation et de guérison. Cela peut surprendre mais peut-être, après tout, pas tant que ça. L'homme du 20e siècle veut un enseignement qui réponde à sa nature intime et la respecte. Or, l'intérêt que l'orientalisme affirme porter au corps, son insistance sur l'importance de sa bonne forme, la simplicité et l'inocuité apparentes des moyens qu'il offre pour y parvenir sont autant de promesses qui gonflent son cœur d'une espérance à laquelle il est prêt à sacrifier ce qui pour lui a souvent été plus une idéologie imposée qu'une foi fondée sur la Parole de Dieu et librement acceptée au plus profond de son être.

En effet, l'Occident, malgré tous les efforts qu'il fait pour s'en sortir est pétri d'une philosophie qui lui chuchote à l'oreille que le corps est le siège du mal, qu'il est infiniment mauvais et méprisable, qu'il ne mérite aucunement qu'on lui porte le moindre intérêt.

À la limite, l'homme occidental en est arrivé à croire que ce qu'il fait à son corps, dans son corps et avec son corps n'a finalement pas d'influence réelle ou profonde sur son être véritable qu'il conçoit comme une entité immatérielle, incorruptible et donc intactile, intouchable.

Le Moyen Âge a profondément souffert d'un tel enseignement. On affirme à cette époque que la propreté est le fait de l'orgueil, la saleté le fait de l'humilité et étant donné que l'humilité est perçue comme une vertu capable d'assurer la vie éternelle, nombreuses sont les personnes pieuses et dévotes qui refusent de s'occuper de leur corps, de le laver et de lui donner les éléments qui peuvent lui assurer la santé. On connaît les angoissantes conséquences de ce manque d'hygiène, voulu et entretenu au nom d'une soi-disant sainteté sur la vitalité et la survie de milliers de personnes.

La pensée moyenâgeuse cherchait à réagir contre les pratiques de propreté des Romains. L'importance sociale qu'ils avaient, au terme de leur décadence, mis sur le bain avait entraîné l'usage excessif de cette pratique qui était devenue l'occasion de débauches et de perversités honteuses. Il était alors difficile pour les gens simples et désireux de pureté morale de ne pas associer le bain, l'eau et la propreté à la dégradation et l'immoralité et l'on pourrait sourire à la lecture de certaines vies de « saints » où l'on donne pour preuve de leur sainteté leur barbe hirsute, leurs cheveux en broussailles et leurs vêtements en loques si à la fin du 20e siècle ces éléments n'étaient pas toujours les emblèmes d'une génération qui se dit libérée, affranchie et émancipée...

Certes, notre société n'est pas encore arrivée à formuler un véritable manifeste du respect du corps. Si, de façon générale, la propreté corporelle n'est plus à l'heure actuelle un problème aigu (on prend ou peut prendre facilement une douche deux fois par jour), la rationalité, la décence et la modestie de l'habillement le sont. Or, ce n'est pas soigner son corps que de le revêtir de vêtements qui ne l'enveloppent pas suffisamment pour le protéger du froid, du vent ou de l'ardeur du soleil. Ce n'est pas l'honorer que de l'affubler avec le dernier cri de la mode avec servilité et de changer ainsi de six mois en six mois toute sa personnalité. Ce n'est pas avoir le sens de sa valeur que d'exposer sa nudité par le biais de décolletés, de tissus transparents et légers, de jupes courtes ou fendues, de pantalons bridés et étriqués...

Mais il y a plus! Ce n'est pas aimer son corps, ce n'est pas le chérir, ce n'est pas saisir toute l'importance, l'indispensable nécessité de son fonctionnement harmonieux que d'ignorer les lois qui le régissent. Jusqu'à quel point notre société comprend-elle vraiment le rôle unique que le corps joue dans la détermination de la qualité de la vie? L'ignorance la plus profonde qu'elle affiche des règles les plus élémentaires de la santé fait douter, fait réellement douter de son progrès et amène l'observateur attentif à remettre en question sa crédibilité, sa vraisemblance et son avenir... Malgré tous ses progrès technologiques, notre société est encore dans la confusion au sujet de l'homme. Elle cherche, malgré toute l'évidence contraire, à se convaincre qu'elle peut améliorer, déplacer, remplacer et manipuler sans conséquence la nature. L'homme moderne veut mener sa vie d'après un seul critère: son plaisir personnel. Il veut croire qu'il peut impunément violer et mettre de côté les lois de la santé puis en corriger artificiellement les conséquences désagréables. Il veut affirmer qu'il peut manger mal, dormir peu, travailler sans arrêt, faire rarement de l'exercice et éviter les résultats d'un tel genre de vie en avalant un médicament miracle ou en subissant une opération extraordinaire. Certaines statistiques sur la consommation annuelle des médicaments tendent à démontrer sans grandes difficultés que c'est là l'attitude de la majorité. Qu'il est tentant de vivre comme on le désire, puis de payer plus tard... Sur le moment, cela semble tellement facile.

Cela n'exige ni discipline, ni sacrifice. Cela est conforme aux exigences de notre culture et se plie à ses pressions. Mais lorsque «plus tard» est arrivé, il faut faire face à la dure réalité: la pilule, l'opération miracles, n'existent pas. Ils ne sont que de tristes moyens d'assourdir les symptômes les plus bruyants ou une méthode pour prolonger l'existence mourante d'un corps qui maintenant fait valoir ses droits.

Ami lecteur, désirez-vous la santé? Il faut alors que vous vous arrêtiez et que vous reconnaissiez humblement qu'en dépit de tous les progrès scientifiques dont notre âge s'enorgueillit, vous dépendez encore et toujours des simples et gratuites forces de la nature: l'air, l'eau, le soleil, la nourriture. Aimez-vous la vie et voulez-vous la prolonger? Oh! acceptez d'apprendre à obéir aux lois de la santé qui sont, très simplement, les *lois de la vie*. La mort a toujours été à la portée de la main de l'homme mais la vie et la santé, depuis la création, demeurent intimement liées à la nature et à ses éléments.

C'est avec beaucoup d'insistance que la Bible enseigne cette vérité et aujourd'hui la science moderne découvre et confirme l'exactitude, l'admirable sagesse, la surprenante audace avant-gardiste de ce Livre dans tous les domaines de la vie. Il est dommage, comme nous le disions au tout début, que notre société ait rejeté en bloc et bâti de solides préjugés contre ce qu'elle n'a finalement jamais pris la peine de vraiment lire n'y d'étudier en profondeur. La Bible, bien que traduite dans presque tous les dialectes et langues de la terre et vendue chaque année, tout autour du monde, en plusieurs millions d'exemplaires, reste encore, pour la majorité des gens un Recueil dont ils ignorent complètement l'ampleur, la profondeur, l'actualité et la multiplicité des enseignements.

Aujourd'hui, en lisant ce petit livre que vous tenez dans les mains, vous pouvez avoir la joie et l'émerveillement de découvrir ce que la Bible, plu-

sieurs fois millénaire, révèle sur l'homme, sur sa nature, ses besoins réels ainsi que sur les moyens de
conserver en lui la santé du corps et la paix de l'esprit. Cette lecture peut devenir pour vous une véritable rencontre, l'événement le plus important de votre
vie.

1

QU'EST-CE QUE L'HOMME?

Le mépris du corps, c'est le mépris de l'homme; c'est l'ignorance douloureuse et tragique de sa véritable nature.

Qu'est-ce que l'homme? La question est millénaire mais indispensable car «se tromper sur l'homme, c'est par voie de conséquences inévitables, se tromper sur tout»... Pour y répondre peut-on se satisfaire de l'opinion, des dissertations, des thèses, des théories, des spéculations des hommes qu'ils soient philosophes, savants ou religieux? Peut-on consulter ses propres sentiments? Peut-on céder à ses souhaits, ses rêves, ses fabulations? Non, il faut que la réponse offre une garantie. Il faut qu'elle soit revêtue d'autorité. Mieux, pour retenir mon attention, pour gagner ma confiance, pour obtenir mon adhésion, il faut qu'elle vienne de celui qui déclare m'avoir créé. Et lorsque je l'entends par sa Parole dire: «Faisons l'homme à notre image...» [1], je prette l'oreille avec assurance. La réponse est là. À moi de l'écouter.

«L'Éternel Dieu forma l'homme de la poussière de la terre, il souffla dans ses narines un souffle de vie et l'homme devint un être vivant.» [2]

Plusieurs traductions bibliques disent «et l'homme devint une *âme* vivante.» Ailleurs, sous la plume de Paul on retrouve cette affirmation: «Le premier homme, Adam, tiré de la terre devint une âme vivante.»[3] Entre Moïse, l'auteur de la première déclaration et Paul, l'auteur de la seconde, il y a plus de mille ans mais l'anthropologie, la conception, il faudrait dire, la révélation biblique de l'homme n'a pas changé et très simplement, en s'en tenant strictement au texte sacré, il faut accepter que:

a)   L'homme et la femme[4] ont été créés à l'image de Dieu.

b)   L'homme a été formé de la poussière de la terre.

c)   Dieu a soufflé dans ses narines un souffle de vie.

d)   Il est devenu un être vivant, béni de Dieu, appelé à lui être fidèle et à aimer sa dépendance profonde, totale et vitale envers lui, son Créateur.[5]

Pensée solennelle. L'homme est une créature, — il n'est pas Dieu — mais il est une créature voulue, façonnée et animée par Dieu lui-même. Plus, l'homme est un être tendrement aimé de Dieu et, dès son premier souffle, il lui offre, dans son désir de le chérir et de le combler de ses bontés, un jardin baigné de lumière, de soleil et d'air pur «pour le cultiver»[6], un régime simple et équilibré composé de céréales, de légumineuses, de graines, de fruits, de noix[7], une femme «une aide semblable à lui», car «il n'est pas bon que l'homme soit seul»[8], une mission, celle de se multiplier[9] afin de connaître les joies uniques de la famille et un rythme harmonieux d'activité et de repos.[10]

L'anthropologie biblique n'est pas sophistiquée et tout étudiant du texte hébraïque et grec sérieux, libre de préjugés et d'a priori découvre bien vite que celui-ci ignore la dichotomie âme-corps et ne fait pas de l'âme une réalité désincarnée et opposée au «corps». Le dualisme, cette notion qui veut que l'homme soit formé d'une âme immortelle habitant dans un corps mortel, n'est pas biblique. Elle est platonicienne, issue de la philosophie grecque, véhiculée par la civilisation gréco-latine jusque dans le christianisme.

La Bible déclare sans ambiguïté que l'âme, c'est l'homme car l'homme que Dieu a créé n'a pas une âme, il est une âme. L'homme est un tout avec des potentiels physique, mental et spirituel. Il n'est pas un composé d'âme et de corps. Il n'est pas un composé d'esprit et de matière. Non, il faut le répéter: Il est un tout unique, entier, indissoluble. C'est pourquoi lorsque le texte sacré parle de la mort, il en parle aussi en termes très simples, sans détour, sans artifice. «C'est à la sueur de ton visage que tu mangeras du pain, jusqu'à ce que tu retournes dans la terre, d'où tu as été pris; car tu es poussière et tu retourneras dans la poussière.» [11] La mort, lorsque Dieu en parle, c'est, avec un réalisme sans fard, tout simplement la cessation de la vie. L'homme, à la mort, n'est plus un être vivant. Son corps se désintègre et ses pensées, son amour, sa haine, son envie [12] périssent car son cerveau qui les produisait ne fonctionne plus.

Pour l'homme biblique l'invitation est précise, pressante, puissante: Vivre pleinement aujourd'hui la vie qu'il possède dans son corps car «pour tous ceux qui vivent il y a de l'espérance, et même un chien vivant vaut mieux qu'un lion mort. Les vivants en effet savent qu'ils mourront, mais les morts ne savent rien, et il n'y a pour eux plus de salaire, puisque leur mémoire est oubliée.» [13]

Cette vie que l'homme est appelé à vivre, est une vie tout à fait concrète: «Va, mange avec joie ton pain... Qu'en tout temps tes vêtements soient blancs et que l'huile ne manque point sur ta tête. Jouis de la vie avec la femme que tu aimes... Tout ce que ta main trouve à faire, avec ta force, fais-le car (... pensée d'une solennelle urgence...) il n'y a ni œuvre, ni pensée, ni science, ni sagesse dans le séjour des morts où tu vas.» [14]

Le Christ a affirmé: «Dieu n'est pas le Dieu des morts mais des vivants. Vous êtes grandement dans l'erreur» [15] et lorsqu'ailleurs il condamne la communication avec les morts [16], c'est tout simplement parce que les morts dorment [17,18,19,20] en attendant la résurrection [21], le rappel à la vie, événement qui, bibliquement se situe «à la fin des temps», au retour de Jésus. [22,23]

Ainsi, il n'y a pas de place pour le doute. «Tout ce que Dieu a créé est bon et rien ne doit être rejeté» [24]. Le corps n'est pas une substance matérielle, vile et périssable et ses activités ne sont pas pernicieuses, dégradantes et vaines. Il n'est pas la prison de «l'âme». Non! *L'homme est un corps* et cela de par la volonté même de Dieu.

L'homme est le chef-d'œuvre de Dieu et comme il sait de quoi il est formé [25] et comment il est formé [26,27], il l'invite avec beaucoup d'insistance à respecter son corps qu'il appelle «le temple du Saint-Esprit». [28] C'est dans cette optique que l'on comprend toute la portée des commandements de Dieu relatifs à la vie sexuelle: «Fuyez l'impudicité. Quelque autre péché qu'un homme commette, ce péché est hors du corps; mais celui qui se livre à l'impudicité pèche contre son propre corps.» [29] Celui qui a façonné le corps de l'homme et de la femme, celui qui les a unis, celui qui les a rendus et voulus féconds déclare que la prostitution [30], l'homosexualité [31,32,33], l'adultère [34], le travestisme [35], et toutes les formes de luxure [36] insultent, méprisent, dénigrent, déshonorent, profanent le corps.

Faut-il le rappeler? L'homme et la femme ont été créés à l'image de Dieu et Dieu souffre chaque fois que son œuvre est attaquée, souillée, foulée aux pieds, souffrante, déformée, malade, avilie, chaque fois que son image à lui est altérée et souvent totalement oblitérée de sa créature. Certaines recommandations nous font comprendre combien Dieu est peiné chaque fois que l'homme défigure son corps et qu'il démontre par là qu'il ne se soucie pas de lui-même, qu'il n'a pas le sens de sa véritable valeur. C'est ainsi que l'on peut trouver dans la Bible des mises en garde contre toutes les mutilations[37], le tatouage[38] et toutes les pratiques qui changent l'aspect naturel du corps. [39]

Le mépris du corps! Que de formes et de visages hideux n'a-t-il pas pris au cours des siècles de l'histoire humaine... Si le mépris du corps a autrefois entraîné le mépris du mariage considéré comme une concession obligatoire à ses besoins honteux, aujourd'hui il amène l'homme à nier qu'il a été par la volonté de Dieu[40] appelé à aller vers la femme, à l'aimer et à s'unir à elle sans retour dans un engagement exclusif et privilégié! Il s'attaque aussi à la femme en lui refusant le droit de vivre une sexualité biologique qui s'exprime entre autres dans un accouchement spontané et un allaitement libre et prolongé. [41] Mais, dans le plan de Dieu, il n'y a place ni pour l'angoisse sexuelle ni pour son obsession. Le couple et la famille sont de droit divin.

Si le mépris du corps a également autrefois entraîné le mépris des réels besoins alimentaires et sanitaires de l'homme qui s'est manifesté par des privations outrées suivies d'excès alimentaires abusifs et par la négligence des règles les plus élémentaires de l'hygiène, aujourd'hui ce même mépris fait toujours tache et il exerce encore de terribles ravages par l'ignorance des lois de la santé et la prétention pour l'homme moderne de s'en passer complètement... Mais, dans le plan de Dieu «il n'y a ni changement ni ombre de variation»[42] et la vie physique, mentale et spirituelle de l'homme dépend encore et toujours étroitement de l'air qu'il respire, du soleil qu'il prend, de l'eau qu'il boit, de la nourriture qu'il mange, de l'exercice qu'il fait, du repos qu'il s'accorde et de la confiance qu'il a en Dieu, son Créateur.

Il y a des millénaires un roi s'exclamait:

«Qu'est-ce que l'homme pour que tu te souviennes de lui?

Et le fils de l'homme pour que tu prennes garde à lui?

— Tu l'as fait de peu inférieur à Dieu.

Et tu l'as couronné de gloire et de magnificence.»[43]

L'homme que Dieu a créé est une créature merveilleuse. Voilà le véritable message de la Bible sur l'être humain et ce que Dieu veut pour chacun de nous, c'est que nous vivions et que nous ayons la vie en abondance...

2

L'AIR PUR

Il est un devoir sacré pour l'homme: prendre soin de son corps, et prendre soin de son corps, c'est d'abord lui assurer la vie. Or la vie de tout homme dépend premièrement et fondamentalement de l'air qu'il respire et ensuite de la façon dont il respire.

Pour vous illustrer cela de façon plus dramatique, laissez-moi vous dire que l'être humain respire 26,000 fois par jour alors qu'il ne mange que 3 fois par jour et qu'il vit très bien s'il ne le fait que deux fois. Ou encore ... l'homme peut survivre de nombreux jours sans manger mais il meurt s'il cesse de respirer plus de cinq minutes et, chose très importante, déjà après quelques minutes certaines cellules du cerveau sont irrémédiablement détruites.

L'air pur est sans contredit un élément de base de toute vie sur la planète. En effet, l'approvisionnement continuel en air pur est tellement important que notre corps est organisé de façon à ce que la respiration se poursuive sans interruption, sans l'intervention de notre attention. De plus, nous possédons un système de respiration de rechange: on peut respirer par la bouche si le nez est bouché; on ne peut voir avec les oreilles si les yeux se détériorent!

De ce fait, bien peu de gens pensent à respirer et encore moins à respirer correctement. Mais avant d'étudier ce qu'est une respiration correcte, normale, totale, demandons-nous pourquoi nous respirons.

L'acte respiratoire est double: il y a utilisation de l'oxygène et mouvement mécanique.

À quoi sert l'oxygène? Nous l'avons dit, fondamentalement à maintenir la vie. Ne pas respirer entraîne la mort, mal respirer entraîne la maladie et bien respirer amène la santé. Ce qui explique que si l'on est fatigué et déprimé, un changement d'air — courte marche ou petite course — anime le corps tout entier. L'air purifie le sang et le rend riche. En effet, une bonne respiration, due au mouvement mécanique de la respiration, facilite l'afflux de l'oxygène vers l'hémoglobine du sang et sa transformation en oxyhémoglobine.

Lorsqu'une personne a une respiration ample, le cœur bénéficie de ce véritable massage intrathoracique. Le jeu du diaphragme est amplifié. Ce muscle respirateur par excellence, grâce à sa situation au-dessus du foie, exerce sur cet important organe une pression qui en active la circulation sanguine et la sécrétion biliaire, contribuant ainsi à son bon fonctionnement.

Les variations de pression entre la cage thoracique et l'abdomen créent un courant sanguin allant alternativement de la pression la plus forte à la pression la plus basse, activant ainsi la circulation de tous les organes abdominaux. Ce mouvement active, facilite, améliore la digestion et l'assimilation. La fonction digestive est en rapport étroit avec l'acte respiratoire: les nerfs pneumo-gastriques qui innervent les poumons innervent également l'estomac, l'intestin et même le foie. En améliorant la fonction respiratoire par la voie réflexe, on améliore le fonctionnement du tube digestif. Une meilleure assimilation se produit et les personnes maigres peuvent grossir et augmenter de poids. Faudra-t-il que les personnes grosses ne respirent pas? Non! une ventilation pulmonaire complète et active permet de lutter contre l'obésité en multipliant l'action oxydante sur les corpuscules de graisse contenus dans les vaisseaux capillaires du poumon. Les travaux du professeur Roger ont démontré que le sang en traversant le poumon, acquiert le pouvoir de détruire les matières grasses, par l'intermédiaire d'un ferment spécial, la lipase pulmonaire qui va agir dans toutes les cellules du corps.

La respiration ample, complète, dans un air pur, amène à l'équilibre organique grâce à l'heureuse action qu'elle a sur les glandes endocrines, notamment sur la thyroïde dont on connaît l'influence considérable tant physiologique que psychique.

Le docteur Boigey (Vittel) a affirmé: «Il n'est pas de moyen plus fidèle de susciter une sécrétion glandulaire que d'irriguer la glande qui la produit par un sang très oxygéné. On peut affirmer qu'à l'état normal, l'activité sécrétrice d'une glande est proportionnelle à la teneur du sang en oxygène.»

Chez la femme en particulier, l'entraînement respiratoire donne d'excellents résultats dans les vomissements de la grossesse. Dans cet état, le besoin d'oxygène est notablement augmenté. La répercussion de la grossesse sur la respiration a été abordée par de nombreux auteurs. Leurs travaux ont établi que la capacité vitale n'est pas diminuée au cours de la grossesse, mais la ventilation pulmonaire est notablement augmentée. De plus, l'enfant constitue son thorax et son appareil respiratoire au cours de sa vie fœtale, dès le cinquième mois. Aussi la quantité d'oxygène contenue dans le sang maternel est-elle primordiale, car elle conditionne de nombreux facteurs. Il ne faut pas que la femme oublie que seul un sang richement oxygéné donne le teint de la jeunesse et par conséquent confère la beauté.

La respiration ample, disciplinée, d'un air pur, amorce chez l'homme tout un potentiel physique et intellectuel, car la vie est faite d'innombrables microrégulations, toutes sous la dépendance de la respiration. Il ne faut pas oublier que l'oxygène est l'aliment no. 1 de la cellule et qu'il ne peut être mis en réserve par elle. L'oxygène est transporté par le sang. Lorsque celui-ci est richement hématosé, tous les organes du corps deviennent plus vigoureux et donnent plus longtemps un meilleur rendement. La santé, l'harmonie d'un corps fonctionnant sans accroc, procure la joie et le bonheur.

Il est un autre point très important qui s'exprime dans cet adage: «aérer les poumons, c'est aérer le cerveau». Il suffit de se rendre compte de l'importance des artères qui irriguent la tête pour comprendre l'intérêt qu'il y a à envoyer au cerveau un sang parfaitement hématosé. C'est pourquoi, il est affirmé que la respiration profonde d'un air pur favorise chez l'homme l'activité spirituelle, intellectuelle et morale. Les émotions négatives s'accompagnent toujours d'une perturbation de la respiration: l'inspiration devient courte, l'expiration saccadée. Immédiatement, le cerveau, qui nécessite 25 fois plus d'oxygène que le reste du corps, est affaibli et il ne peut plus exercer ses fonctions normalement. Si l'insuffisance respiratoire est constante, le cerveau s'endort, n'exerce plus aucune de ses fonctions et entre autres celle de la volonté. En effet, il est prouvé que la conscience qui permet à l'homme de distinguer entre le bien et le mal, est une fonction spécialisée de la raison. Or la raison est affectée par la qualité des tissus du cerveau qui, eux, puisent entre autres leur force de l'oxygène trouvé dans le sang qui les irrigue.

Le docteur J. Pourcel étend encore le rôle de la respiration en démontrant que, si la vie végétative est dans l'ensemble assez autonome, une des principales exceptions est la respiration qui est à la fois autonome et soumise au contrôle de la conscience et à l'influence de la volonté. On peut, par la domination de la respiration, contribuer à maintenir en soi le calme, la sérénité, ou en d'autres termes, à étendre la maîtrise d'une fonction à la maîtrise de soi. [1]

Ainsi, nous pouvons conclure que l'air est le premier élément des tissus de nos corps. La respiration, dit le professeur Plent, nous nourrit aux trois quarts. Chaque inspiration, — il y en a 16 par minute —, apporte au repos un demi-litre d'air, soit onze mètres cubes par vingt-quatre heures. Or ces onze mètres cubes d'air épurent 18,000 litres de sang dans le même temps. Il n'est pas besoin d'insister plus longtemps pour affirmer que seul un sang pur, riche en oxygène, est propre à assurer à tout le corps la véritable santé: les nerfs sont calmes, l'appétit est bon, la digestion est sans difficulté et complète, le sommeil est profond et réparateur.

Ainsi respirer est certes une loi fondamentale de la santé. Malheureusement très peu de gens utilisent leur pleine capacité respiratoire. La majorité des adultes respire comme des enfants de six ans.

Qu'est-ce donc que bien respirer? «Physiologiquement, l'acte respiratoire doit correspondre à un *besoin*. La respiration naturelle s'effectue synchroniquement avec une certaine activité circulatoire et un certain état chimique du sang. Le meilleur moyen d'exciter naturellement la respiration est donc l'exercice comme celui de la course, du saut, du travail manuel: l'homme au repos consomme 24 litres d'oxygène à l'heure; soumis à un dur travail, il en consomme 252 litres (d'après Lavoisier). » [2]

Ainsi, pour bien respirer, il faut avant tout de l'activité physique. Le sédentarisme entrave gravement la respiration. Plus, il faut respirer par le nez et cela, à l'inspiration et à l'expiration. Ayant compris l'importance d'une telle habitude, les parents, dans certaines tribus indiennes, attachent le menton des bébés pour les obliger à respirer par le nez. En effet, l'organe premier de la respiration est le nez, celui-ci étant parfaitement adapté à sa fonction et agissant comme filtreur des poussières de l'air grâce à sa pilosité interne. Finalement, il faut respirer pleinement en développant entièrement les poumons par une inspiration totale et une expiration totale. Cela doit devenir naturel et inconscient. Pour rééduquer cette fonction, il faut faire de la gymnastique respiratoire et je vous propose cet exercice simple à pratiquer quatre fois par jour: vous vous tenez debout, naturellement, sans raideur, en plein air ou dans une pièce très bien aérée. Soyez vêtus légèrement sans vêtement entravant l'expansion du thorax. Vous inspirez l'air très lentement et à vitesse uniforme pendant dix à quinze secondes en dilatant le thorax mais sans soulever les épaules. Les poumons sont remplis à bloc. Gardez l'air cinq secondes. Maintenant, expirez lentement, sans précipitation brusque ou saccadée par le nez. Quand le thorax est revenu sur lui-même, ce n'est pas tout! Penchez-vous en avant, contractez vos muscles abdominaux et votre diaphragme. Restez encore cinq secondes en apnée (arrêt de la respiration) pour laisser se créer le besoin d'air et recommencez l'exercice en entier trois fois.[3] Si la tête vous tourne, vous aurez une preuve que vous avez une insuffisance respiratoire et que votre cerveau est en veilleuse.

Nous avons dit que cette respiration nécessite un air *pur*. Qu'est-ce que l'air pur? C'est tout simplement (!) un air riche contenant $1/5$ d'oxygène, $4/5$ d'azote et des gaz rares: argon, xénon, hélium, néon, crypton, ainsi qu'une quantité variable d'oxyde de carbone et de vapeur d'eau. Cet air sera dépourvu de poussières et de fumées. L'air qui n'est pas pur est cet air de Londres sur lequel il retombe chaque année 75,000 tonnes de suie; ou cet air de Paris qui contient au niveau du sol 2,217 germes nocifs par cm^3 d'air; c'est l'air contenant des produits caustiques qui rongent jusqu'aux statues de marbre en Italie; c'est l'air qui contient les produits extrêmement toxiques de l'échappement de gaz des automobiles; c'est l'air non renouvelé des appartements clos; c'est l'air où l'on fume... La combustion d'un paquet de cigarettes dégage huit litres d'oxyde de carbone et dix-neuf litres d'anhydride carbonique! (à part tout le reste).

Il est donc absolument nécessaire de vivre et de travailler dans des locaux très bien aérés et très bien ventilés. Pour cela, il faut encourager les autorités à interdire l'usage du tabac dans les locaux publics: trains, bureaux, classes afin de protéger les non-fumeurs et de permettre un meilleur rendement au travail. Les parents doivent se rendre compte que fumer auprès de jeunes enfants, est irresponsable et cause de nombreux malaises et hélas, même la mort chez ces êtres innocents et sans défense. Il est également essentiel de fuir les centres industriels, les habitations en bordure des grandes artères.

Récemment les travaux de Tchigevsky et Pech ont démontré d'une façon plus précise l'action vitale de l'air sur notre être en découvrant que celui-ci peut être favorable ou non à notre équilibre et à notre santé grâce à l'ionisation atmosphérique. En effet l'air peut être chargé d'ions négatifs ou positifs. Ce sont les ions négatifs qui nous sont favorables et utiles alors que les ions positifs peuvent être destructeurs, car c'est la présence d'ions négatifs dans l'air qui nous permet d'absorber l'oxygène essentiel à la vie. Il est très sérieux de penser que la génération d'ions négatifs se fait naturellement par les orages, les chutes d'eau et la végétation, et artificiellement par l'humidification de l'air. Par contre la génération des ions positifs se fait dans la nature par les vents chauds et secs (le foehn, le mistral, le sirocco) et artificiellement par la pollution, l'asphalte, le béton. Il est prouvé que les villes, les automobiles, les avions, les trains, les grandes bâtisses en béton et les pièces surchauffées ont un air ambiant excessivement élevé en ions positifs et leur présence est génératrice de fatigue, d'angoisse, d'agressivité et de dépression.

L'homme doit donc avant tout se soumettre à cette première loi de la santé: respirer amplement et abondamment un air pur et vivant. Il peut aussi s'y baigner. En effet, le bain d'air qui consiste à laisser la peau nue respirer l'air sans entrave, stimulerait mieux la circulation que le bain d'eau. On peut en vérifier le rythme par la richesse du sang en hémoglobine, celle-ci augmentant de 85% dans le bain d'air mais seulement de 45% dans le bain d'eau.

Et maintenant, j'hésite à aller plus loin; et pourtant, il le faut pour être honnête, pour être réaliste. Un air pur et vivant! Qui peut affirmer en jouir gratuitement et naturellement? Oui, vous avez compris, je parle de pollution. Ah! l'horrible mot qui m'attriste. La pollution rend l'application de cette première loi de la santé extrêmement difficile. Les sources de pollution sont énormes aussi bien répandues à la ville qu'à la campagne (le ski-doo par exemple), autant personnelles (voiture, moto, cigarette, etc...) qu'industrielles. L'homme a maintenant à faire face à une forte concurrence: le Boeing 707 a besoin, pour faire la traversée Paris–New-York, de 30 tonnes d'oxygène pur, i.e. 150 tonnes d'air, soit la respiration de 2,500 personnes. Au décollage, il pompe autant d'oxygène qu'en produit en un an une forêt de plusieurs centaines d'hectares. Les voitures pour leurs 6,000 explosions par minute et par voiture, consomment aussi de l'oxygène!

L'état de l'industrie humaine est tel, que la production naturelle de l'oxygène est en diminution en même temps que sa consommation augmente. Le taux d'oxygène des grandes villes a déjà diminué d'un demi pour cent.

L'oxygène est produit dans la nature par photochimie: c'est la fonction chlorophylienne des végétaux. Empêcher cette fonction en coupant un arbre ou en polluant la mer au DDT (qui empêche la photosynthèse des algues) est se diriger vers un avenir de mort. Or, la mer est polluée et l'Amérique utilise chaque année deux fois plus de bois qu'il n'en pousse dans le pays. Les besoins mondiaux en bois croissent annuellement de 10%.

Déjà, on observe dans les villes les affections suivantes dues à la pollution de l'air: un certain degré d'anémie, de la bronchite, des réactions allergiques et des perturbations marquées du système nerveux central.

Le tableau de notre avenir est sombre. Le pronostic éminemment défavorable. Plus d'un savant affirme qu'il est irrémédiable et catastrophique. La pollution de l'air combinée à un renversement de la température affecte déjà des milliers de gens dans certaines grandes villes industrielles; la pollution de l'air intercepte de plus en plus la lumière solaire reçue sur la terre. De nouvelles maladies frappent les hommes et atteignent les proportions de véritables fléaux. Les résultats de longues études faites par le professeur Linus Pauling (prix Nobel de chimie et de paix), des physiciens japonais et le français J.-Pierre Viguier peuvent nous faire comprendre l'épidémie des cancers de toutes sortes que connaît sans pitié et sans distinction notre société car ils révèlent que les 200 explosions atomiques ayant eu lieu entre 1945 et 1958 doivent provoquer la mort par leucémie et par cancer des os de 140,000 personnes et celle d'un million de personnes par divers types de cancer. Il faut ajouter avec tristesse que depuis 1958, les explosions atomiques n'ont pas cessé!

Vous laisserai-je sur cette note tragique? Oh! Non! Souriez et soyez heureux car il y a un espoir, une promesse certaine, assurée et inébranlable. Cette promesse est de Dieu:

«Puisque donc toutes ces choses doivent se dissoudre, quelles ne doivent pas être la sainteté de votre conduite et de votre piété, tandis que vous hâtez l'avènement du jour de Dieu, à cause duquel les cieux enflammés se dissoudront et les éléments embrasés se fondront.

Mais nous attendons, *selon sa promesse,* de nou-
veaux cieux et une nouvelle terre où la justice
habitera. » [4]

Oui, en attendant, appliquez-vous à respirer l'air le
plus pur que vous pouvez trouver, en évitant les villes,
les endroits enfumés et les appartements confinés.
Pensez-y, ouvrez vos fenêtres! Le combustible de
votre organisme est l'oxygène. Vous en avez besoin
sans arrêt, nuit et jour. Ce combustible est gratuit
mais il ne se trouve que dehors. Laissez-le entrer
chez vous et respirez-le à longs traits. Les factures de
vos maladies sont beaucoup et seront toujours beaucoup plus dispendieuses, que vos factures d'huile à
chauffage ou d'électricité!

3

LE SOLEIL

« La vie est enfant du soleil », disait le docteur Oswald; et Michelet a pu écrire avec raison: « La fleur humaine est de toutes les fleurs celle qui a le plus besoin de soleil ».

En effet, qui songerait seulement à cultiver des fleurs dans une cave? Mais pourquoi tant de parents élèvent leurs enfants à l'ombre? Tout le monde connaît la nécessité de placer ses plantes sur le bord de la fenêtre pour qu'elles reçoivent le maximum de lumière, mais pourquoi l'homme s'imagine pouvoir seul échapper à cette loi et vivre sain et heureux totalement privé de soleil et de lumière naturelle?

La peau, quoiqu'on pense, n'est pas un simple revêtement extérieur esthétique. *C'est un important organe de protection*: elle empêche la pénétration de la plupart des substances qui nous entourent: pluie, poussières. Nous pouvons recevoir sans grand dommage sur nos mains nues de nombreuses substances chimiques qui, si elles étaient introduites en petite quantité par une coupure ou par la bouche, provoqueraient un violent empoisonnement. Une peau saine est probablement le plus puissant germicide que l'on connaisse. Des tests faits avec différents micro-organismes dits pathogènes, ont démontré à l'évidence, que placés sur la peau propre d'une personne de santé normale, ils sont vite détruits ou neutralisés.

La peau est également *un organe d'élimination*; elle rejette l'humidité, les déchets graisseux et les acides volatils. Il paraît qu'une peau saine et normale élimine un demi-litre de poisons par jour. Là, cependant, n'est pas le rôle principal de la peau qui est *la régulation thermique du corps.* Une peau saine et bien stimulée grâce à l'usage adéquat de l'eau froide et chaude, lorsqu'elle est correctement protégée par des vêtements adéquats, permet à un individu de résister efficacement au refroidissement.

La peau est enfin un important instrument de connaissance et de communication. C'est par le toucher que nous recevons et donnons, en partie, l'unique indispensable nourriture de nos cœurs, l'amour. Nous pouvons apprendre à nous en servir avec nos enfants, nos conjoints et nos proches pour leur faire *sentir* que nous les aimons inconditionnellement.[1] La peau a donc plusieurs fonctions essentielles pour notre santé et elles peuvent être mises en valeur grâce à un contact régulier avec le soleil, l'air, la lumière et l'eau.

Quelle est l'action du rayonnement solaire?

Nous avons vu que le bain d'air augmente le taux d'hémoglobine de 85% dans le sang. La lumière solaire qui se compose de rayons lumineux, de rayons thermiques, de rayons chimiques, joue un rôle important dans la vie, la croissance et le développement des plantes, des animaux et des hommes.

Les rayons chimiques du soleil sont le plus puissant de tous les facteurs accessoires de la nutrition. Ils accroissent la formation des globules rouges du

sang, la pigmentation de la peau, accélèrent la croissance des cheveux et activent le métabolisme. Le
cholestérol (un stérol d'origine alimentaire présent
dans toutes les cellules et le sang) constitue une
source précieuse de provitamine D qui est transformée en vitamine D à la surface de la peau grâce aux
rayons ultra-violets. La vitamine D est un facteur
indispensable pour l'assimilation du calcium alimentaire et nous comprenons alors combien il est important
d'aller au soleil chaque jour et d'y exposer son visage.
Des expériences menées à l'Université John Hopkins
(U.S.A.) ont démontré que des rats privés d'une exposition régulière au soleil, ne pouvaient pas extraire
les éléments nutritifs qui se trouvaient dans leur
nourriture, ni les assimiler, et ils devenaient rachi-
tiques.

Les rayons thermiques accroissent l'activité de la
peau, accélèrent la dissolution et l'absorption des tissus pathologiques, activent la croissance et la régénération des tissus. L'excès de chaleur est énervant
mais une température douce inhibe l'activité nerveuse, dilate les vaisseaux sanguins, relâche les
muscles, abaisse l'activité du cœur et la pression
sanguine, accroît l'importance de la respiration.

Les rayons lumineux du soleil ont une action
bienfaisante sur l'état psychologique. Par l'intermédiaire de l'hypophyse (glande située à proximité du
chiasma optique), le système neuroglandulaire se
trouve favorablement stimulé par la lumière qui péne-
tre les yeux. Ceci expliquerait l'impression de renouveau sentie au printemps et la joie des jours ensoleil-
lés.

La lumière naturelle doit pénétrer dans nos appartements. Tirons les rideaux. Ouvrons les fenêtres.
Recherchons les endroits élevés et orientés vers le
sud. Ne nous privons pas d'une telle bénédiction. De
plus pour jouir abondamment de la santé et de la
force il faut veiller à ajouter des bains de soleil aux

autres facteurs de santé. Ils permetteront de combler la famine de lumière dont souffre l'homme moderne sédentaire et travaillant dans des pièces artificiellement éclairées et aérées.

Comment procéder? Vu la nécessité d'une exposition importante du corps au soleil, il serait indispensable que toute maison possède un solarium. J'ai toujours été perplexe de voir que sous le rude climat canadien, les gens s'efforçaient d'avoir une piscine extérieure à grands frais mais ignoraient complètement le bain de soleil. Et pourtant, rien de plus simple et de moins coûteux que de se fabriquer un bain de soleil ou solarium. Voici ce qui permettra à quiconque a un petit bout de terrain, d'en posséder un: du matériel isolant pour les murs, du plastique transparent pour le toit et une ventilation adéquate, et ça y est, vous êtes prêt à prendre un bain d'air, de lumière et de soleil sur tout le corps qui, dans cette construction, est à l'abri des regards indiscrets et du froid le plus rigoureux. En effet, le solarium orienté vers le sud, reçoit le soleil qui, en frappant sur le plastique, réchauffe agréablement l'intérieur.

Cette construction permet à tous de s'ensoleiller régulièrement et totalement. Les malades, les débiles, les faibles, augmenteront leur vitalité et leur résistance aux infections et surtout, ils découvriront la joie!, la joie de vivre car, « la lumière est douce, et il est agréable aux yeux de voir le soleil ». [2] L'héliothérapie pratiquée du temps des Grecs, a connu une nouvelle faveur au début du vingtième siècle, et de nombreux médecins affirment que le soleil est un appoint thérapeutique souvent spectaculaire: il permet des rétablissements miraculeux dans des cas graves de tuberculose de la moëlle avec paralysie des membres inférieurs (Rollier), de tuberculose pulmonaire, dans le rachitisme, les maladies de la peau, (acné, psoriasis), les ulcères variqueux, l'ostéomyélite, les blessures résultant d'accidents; il est particulièrement utile dans les affections nerveuses, la paresse glandulaire, l'irrégularité d'ovulation, les difficultés pubertaires, l'impuissance, les hémorragies utérines (grâce à l'amélioration du pouvoir de coagulation du sang), l'anémie, l'obésité et l'insomnie.

Les personnes faibles, non habituées, doivent procéder avec prudence. Elles ne s'exposeront d'abord qu'une dizaine de minutes. En augmentant graduellement la dose, elles éviteront les brûlures qui peuvent être douloureuses et dangereuses: de trois à cinq minutes sur le dos, de trois à cinq minutes sur le ventre pour commencer, puis, de jour en jour, rester une minute de plus jusqu'à ce que la séance entière dure 20 minutes. Vous serez alors également bronzé, sans brûlures et sans excès. Il ne faut pas oublier que la pigmentation protège la peau contre une absorption trop grande des rayons ultra-violets. Le bronzage excessif est alors dangereux car il empêche la pénétration des rayons bénéfiques. C'est ainsi qu'une personne peut être très bronzée et manquer de vitamine D.

La première règle d'un bain de soleil bénéfique est donc d'éviter l'excès. La mode estivale du bronzage à tout prix, le plus rapidement possible, est nuisible et malsaine. Prendre le soleil n'est pas de la coquetterie ou du snobisme; c'est une loi de la santé, c'est la deuxième loi de la santé.

De plus, il faut prendre des précautions d'ordre diététique afin de profiter au maximum du soleil: avant et après l'exposition, ne pas faire de repas copieux, s'abstenir d'alcool et de charcuterie, et consommer modérément des aliments riches en protides, sucre et farine blanche. Le bain de soleil peut assoiffer et déshydrater. Cet inconvénient sera facilement évité si l'individu a l'habitude de faire une consommation adéquate d'eau. Il peut également boire au cours de la séance un verre d'eau pure, fraîche, mais non glacée.

L'utilisation de plus en plus répandue d'huiles et

de produits antisolaires, est dangereux*. Ces produits sont généralement nocifs vu leur composition et aussi du fait qu'ils ne permettent pas à la peau d'exercer correctement ses fonctions.

Depuis que la mode impose à la femme et à l'homme un bronzage uniforme et prononcé, on entend plusieurs mises en garde qui peuvent décourager certaines personnes de prendre le soleil, même avec modération. En effet, on accuse depuis un certain temps le soleil de donner le cancer ou la tuberculose, par exemple. Il faut cependant bien comprendre que cela peut être la conséquence d'une exposition inconsidérée au soleil et de brûlures répétées chez des personnes aux habitudes de vie malsaines et faisant un usage excessif de graisses animales et d'alcool.

La découverte des heureux effets du soleil sur le corps humain, a amené les industriels à fabriquer des lampes destinées à remplacer le soleil naturel. Pourtant ces appareils ne sont que de faibles imitations de cet astre radieux qu'est le soleil. Car l'homme fait une lampe, mais le psalmiste l'affirme: «(Dieu) a créé la lumière et le soleil». [3] Cet appareil est difficilement justifiable, alors qu'il est si facile de se fabriquer un solarium. De plus, la réalité de son action est contestée.

C'est ainsi que nous pouvons résumer la procédure du bain de soleil:
— Brunir lentement et progressivement.
— L'exposition du dos est préférable à celle de l'abdomen pour commencer.
— Ne pas rester trop longtemps immobile au soleil, mais faire de l'exercice.
— Par temps chaud, prendre de préférence le bain aux heures tièdes de la journée.
— Par temps froid, le prendre à midi, à l'abri, mais toujours par exposition directe aux rayons solaires.

---

* Voir du même auteur *L'allergie au soleil,* Orion, Québec, 1986.

— Prendre de préférence le bain sur les hauteurs où les ultra-violets sont plus abondants. Dans les atmosphères brumeuses et enfumées, les effets sont moindres. La couche de fumée, de poussières et de suie qui s'étend sur toutes les grandes villes, absorbe presque entièrement les rayons ultra-violets et ils ne peuvent plus exercer leur action salutaire.

Nous disions, au chapitre précédent, que les savants affirment que la pollution de l'air interceptera progressivement la moitié de la lumière solaire: le soleil est composé de plusieurs sortes de rayons, avons-nous dit. La pollution intercepte les rayons lumineux et les rayons chimiques du soleil, mais elle augmente grandement l'intensité de ses rayons thermiques. Ceci est causé par l'élévation du taux de gaz carbonique dans l'atmosphère, qui provoque une élévation parallèle de la température moyenne à la surface du globe. L'augmentation du taux de gaz carbonique est entraînée par l'abaissement du taux d'oxygène, lui-même étant une conséquence du déboisement intensif et de la combustion exagérée (usines, avions, voitures, etc...).

L'avenir est sombre et combien il est facile de se laisser étreindre par l'angoisse... Il y a près de 2000 ans des hommes ont demandé à Jésus:

«Maître, qu'en sera-t-il de la fin?» Jésus leur répondit: «Il y aura des signes dans le soleil, dans la lune et dans les étoiles. Et sur la terre, il y aura de l'angoisse chez les nations qui ne sauront que faire, au bruit de la mer et des flots, les hommes rendant l'âme de terreur dans l'attente de ce qui surviendra sur la terre; car les puissances des cieux seront ébranlées. Alors, on verra le Fils de l'homme venant sur une nuée avec puissance et une grande gloire.

Quand ces choses commenceront à arriver, redressez-vous et levez vos têtes, parce que votre délivrance approche». [4]

J'aime ces paroles. Je veux me laisser consoler par elles. Je trouve qu'il est doux de penser que nous serons délivrés de la pollution par un Dieu qui nous promet de créer «un nouveau ciel et une nouvelle terre; car le premier ciel et la première terre avaient disparu.»[5] Et là, merveille! «La lumière de la lune sera comme la lumière du soleil, et la lumière du soleil sera sept fois plus grande (comme la lumière de sept jours).»[6]

4

LA
TEMPÉRANCE

« L'excès en tout est un défaut », dit-on couramment. Mais y croit-on vraiment? La médecine démontre cette affirmation de maintes manières et tout particulièrement lorsqu'elle présente la toxémie comme une cause immédiate de nombreuses altérations de la santé. La toxémie c'est, en terme général, la présence dans le sang, la lymphe, les sécrétions et les cellules, de toute substance qui, au-delà d'un certain seuil, altère le fonctionnement de l'organisme. Elle est la conséquence d'une élimination insuffisante qui entraîne l'accumulation des produits de déchets du métabolisme (toxines).

L'élimination est fonction d'une énergie nerveuse suffisante et chaque fois que le potentiel nerveux d'une personne est réduit, on peut toujours enregistrer une baisse correspondante de la sécrétion et de l'élimination. Ainsi, de nombreux praticiens croient que la toxémie, cause de maladie, est, en partie, produite par une diminution de l'énergie nerveuse. Or, qu'est-ce qui entraîne une réduction du potentiel nerveux chez un individu? La réponse est, sans hésitation, l'intempérance qui se manifeste par des excès de toutes sortes, des déficiences et des stimulations physiques et émotives aux conséquences néfastes.

Le surmenage, la suralimentation, les pratiques de santé pratiquées sans mesure — bains trop chauds ou trop froids, surexposition au soleil, régimes extrêmes — les excès sexuels dissipent une énergie nerveuse précieuse. Le manque de sommeil et de repos, le manque d'air, de soleil, de lumière et d'exercice, une alimentation carencée sapent la vitalité. L'habitude presque générale de recourir aux excitants et aux stimulants sous forme de tabac, d'alcool, de marijuana, de thé, de café, de cacao, d'épices et de médicaments occasionne une dissipation d'énergie nerveuse très préjudiciable. Les émotions négatives ou excessives qui persistent au-delà d'une cause réelle et immédiate comme la peur, l'angoisse, l'anxiété, la colère, la haine, l'envie, la jalousie, l'insatisfaction et l'exaltation mystique sont souvent le signe d'un désordre du métabolisme des sucres (hypoglycémie)[1] qui survient à la suite d'habitudes alimentaires intempérantes. Elles entraînent un épuisement nerveux caractéristique qui, à son tour, cause de nombreux autres maux.

Lorsque l'on désire la santé, il est donc absolument nécessaire d'une part, d'éviter tous les excès et d'autre part, de parvenir à la joie et à la paix que procurent la confiance et l'espérance. Le programme est plus facile à énoncer qu'à réaliser. Mais si nous le désirons vraiment nous pouvons nous y attaquer en comptant sur la collaboration étroite d'un Père plein de compassion :

«Ne vous inquiétez de rien; mais, en toute chose, faites connaître vos besoins à Dieu par des prières et des supplications, avec des actions de grâce. (...) Au reste (...), que tout ce qui est vrai, tout ce qui est honorable, tout ce qui est juste, tout ce qui est pur, tout ce qui est aimable, tout ce qui mérite l'approbation, ce qui est vertueux et digne de louange, soit l'objet de vos pensées.[2]»

Voici un objectif positif qui permettra à l'homme moderne d'éviter les excès de sa nature affective, les émotions négatives, les passions, les soucis, la tension nerveuse et les maladies qui se greffent sur de tels états d'esprit: l'arthrite, les maladies mentales, vasculaires, gastro-intestinales. La tempérance, la science le prouve aujourd'hui, est plus qu'une vertu. C'est une loi de la santé.

Cependant, lorsque l'on parle de tempérance, il peut venir à l'esprit deux définitions de ce terme: est tempérant celui qui est modéré, qui évite les extrêmes; ou, est tempérant celui qui est abstinent.C'est ainsi que certaines personnes affirment qu'être tempérant, c'est *s'abstenir* d'alcool, de tabac, thé, café, etc... et que d'autres rétorquent qu'être tempérant, c'est user de toutes ces choses avec *modération*. Les arguments sont multiples pour un cas comme pour l'autre. Les uns disent: avec de tels produits, il n'y a pas de mesure certaine, l'excès est vite atteint et atteint différemment selon chacun. De plus, ces produits étant nocifs, il vaut mieux, si l'on veut aider ceux qui sont dans l'excès, les amener à l'abstinence plutôt que de leur faire trouver un juste milieu qu'ils n'ont jamais eu ou qu'ils ont perdu. Les autres renchérissent: trouver le juste milieu est la marque de l'homme supérieur, de l'homme véritablement équilibré. Ceux qui s'abstiennent sont des faibles. Voilà un habile sophisme qui a transformé la vie de millions d'êtres humains en agonie lente et cauchemaresque.

La pensée chrétienne authentique a toujours encouragé la modération dans toutes les bonnes choses et l'abstinence totale des mauvaises choses. Cependant, cette attitude se retrouve obligatoirement chez tout penseur sensé et réaliste. Aristote, par exemple, dans l'*Éthique à Nicomaque* fait les réflexions suivantes: «Les sentiments d'effroi, d'assurance, de désir, de colère, de pitié, enfin de plaisir ou de peine, peuvent nous affecter ou trop ou trop peu, et d'une manière défectueuse dans les deux cas.

Mais si nous éprouvons ces sentiments au moment opportun, pour des motifs satisfaisants, à l'endroit de gens qui le méritent, pour des fins et dans des conditions convenables, nous demeurerons dans une excellente moyenne, et c'est là le propre de la vertu. C'est pourquoi, (...) la vertu consiste en une juste moyenne. Mais toute action, de même que toute passion, n'admet pas cette moyenne. Il peut se faire que le nom de quelques-unes, suggère aussitôt une idée de perversité: par exemple, la joie éprouvée du malheur d'autrui, l'imprudence, l'envie; et dans l'ordre des actes, l'adultère, le viol, l'homicide. *Toutes ces actions, ainsi que celles qui leur ressemblent, encourent le blâme, parce qu'elles sont mauvaises en elles-mêmes et non dans leur excès ou leur défaut.* » [3]

Nous avons là une réponse claire aux détracteurs de la tempérance «juste milieu». Lorsqu'il s'agit de l'alcool, du tabac et d'autres excitants, toutes ces habitudes encourent le blâme, parce qu'elles sont mauvaises en elles-mêmes. La véritable santé exige l'abandon total de ces poisons.

Il y a divers toxiques aux effets divers. Les uns sont immédiats, brutaux et spectaculaires. Les autres sont insidieux, sans manifestation visible, à moins d'être pris à doses massives; le défaut le plus manifeste de certains poisons est justement de n'être pris qu'à doses relativement faibles mais répétées et continuelles.

Les toxiques de cette dernière catégorie sont:

la théobromine du cacao (chocolat)

la caféine du café, thé, maté, kola (boissons gazeuses)

l'alcool

la nicotine du tabac

les tranquillisants, etc...

L'étude récente mais combien passionnante de la neurologie a mis au jour l'effet insidieux de ces toxiques et démontré comment, même sans lésions apparentes ou troubles fonctionnels précis, ils constituent une entrave au fonctionnement maximal du cerveau en ne lui laissant qu'une activité routinière, incapable de synthèse intellectuelle nouvelle. Pourquoi cela? La biochimie nous indique que le sang peut charier deux sortes de substances jusqu'aux cellules constitutives du cerveau: celles que la cellule peut accepter ou refuser, et celles que la cellule ne peut refuser et qui la pénètrent fatalement. Ceci est conditionné par la nature graisseuse de la paroi d'enveloppe de la cellule. Son rôle est de retenir les richesses de cette cellule et d'interdire aux matériaux dissous dans l'eau qu'elle renferme, de s'échapper au dehors, et d'autre part, de s'opposer à toute substance nuisible (excès de substances alimentaires ou poisons). Toutes nos substances alimentaires sont insolubles dans les matières graisseuses. Ces éléments utiles sont donc facilement retenus dans la cellule par la membrane cellulaire qui est graisseuse et qui pourra également s'opposer à un apport alimentaire excessif. Mais toute substance à solubilité à la fois dans l'eau et dans l'huile, possède un pouvoir irrésistible d'invasion cellulaire. Or, les toxiques que nous nommions plus haut, sont solubles à la fois dans l'eau et dans l'huile. Ils pénètrent donc de force dans les cellules fragiles et vulnérables du cerveau.

Ces poisons, oh! combien ils sont traitres, toucheront moins la pensée routinière que la pensée nouvelle. Les activités professionnelles habituelles résisteront, mais les moyens de défense, de progrès, de jugement personnel seront de plus en plus diminués. La marijuana offre un tableau semblable. On a rapporté que le docteur Harvey Powelson, chef du département de psychiatrie au Student Health Center de l'université de Californie à Berkeley, avait déclaré en 1967: «La marijuana est inoffensive.» Mais

au printemps de l'année 1970, alors qu'il avait exa-
miné plus de mille patients usagers de la marijuana,
il fut tellement convaincu qu'il s'était gravement
trompé qu'il n'eût pas honte et n'hésita pas à se ré-
tracter publiquement. Aujourd'hui, le docteur Powelson affirme que la marijuana est la drogue la plus
dangereuse de notre société car, au tout début, son
usage est extrêmement séduisant. Les fumeurs sont
tellement enchantés par l'illusion d'avoir maintenant
des sentiments profonds et chaleureux qu'ils sont in-
capables de percevoir la détérioration de leurs propres processus mentaux et psychologiques. L'usage
prolongé de cette drogue expose l'individu à des
pensées hallucinatoires et au très fort besoin d'entraîner son prochain à fumer comme lui.

L'intempérance a le goût et l'odeur d'innombrables misères humaines: Tabac, alcool, sucre, drogues sociales et autres... Seule la grâce peut en effacer les plaies dans notre vie et dans celle de ceux
que vous avez blessés. Qu'est-ce que la grâce? C'est
un trait du caractère de Dieu manifesté envers notre
race qui ne la mérite pas. Elle vient à nous alors que
nous la recherchons pas. Dieu prend plaisir et désire
ardemment la répandre sur nous, non que nous en
soyons dignes, mais précisément parce que nous en
sommes indignes. La grâce, c'est le pardon gratuit;
c'est l'amour sans condition; c'est la réhabilitation
totale et complète; c'est la liberté, enfin...![4] La
grâce est là, supportant inlassablement notre fai-
blesse, notre ignorance, notre ingratitude et notre
obstination. Malgré nos erreurs, la dureté de notre
cœur, notre négligence de ses appels miséricordieux,
elle nous tend une main toujours secourable. Il
n'existe pas d'abîme suffisamment profond où sa
main ne puisse plonger pour en retirer celui qui y est
captif. Pour avoir droit à la grâce, il n'y a qu'une
seule condition: en avoir besoin.

Ainsi, lorsque nous avons à cœur les meilleurs
intérêts de l'homme, il ne peut y avoir de confusion

quant à la définition de la véritable tempérance. Le doute ne peut subsister; la tempérance, celle qui conseille la modération dans les sentiments, dans le travail et le sommeil, dans le manger et le boire et l'abstinence de tous les excitants, stimulants et narcotiques est véritablement une loi de la santé. L'acceptation de cette loi donne à l'homme une dignité et une noblesse à la portée de tous. Conscient que la seule supériorité qu'il possède sur l'animal provient de son cerveau et de ses facultés de raisonner, de créer, de juger, de méditer, il aura plaisir à s'abstenir complètement et radicalement d'alcool, de café, de thé, de nicotine, de cola, de chocolat et de tout autres drogues. Sa plus grande joie alors sera de pouvoir discerner la volonté de Dieu et de conserver en lui-même l'image de son Créateur.

5

LE REPOS

Le repos, une loi de la santé! Oui! Une des facettes des nombreux rythmes qui permettent en nous la vie, il est indispensable et naturel. Tout comme la nuit cède au jour, ainsi le repos cède au travail. La vie est rythme: inspiration et expiration, systole et diastole, assimilation et élimination, tension et détente, dans le corps humain; nuit et jour, été et hiver, dans la nature et pour que l'homme s'accorde avec son rythme et celui de son environnement, il lui faut le repos après le travail, la relaxation après le stress et le sommeil après l'état de veille.

Relaxation, repos, sommeil, ces mots sont doux à entendre, doux à vivre, mais, hélas! n'entend-on pas plus souvent et jusqu'à l'obsession les mots contraires: stress, travail, veille? Et l'homme au rythme brisé est projeté dans une vie qui n'a plus ses racines dans le rythme de la nature qui, imperturbable, immuable malgré les nombreux artifices de l'homme, continue à faire succéder la nuit au jour, l'hiver à l'été et la brise du soir à la chaleur du midi.

La relaxation, le repos et le sommeil sont indispensables à l'homme afin de lui conserver son intégrité; ils sont indispensables à sa vitalité et à sa santé. On peut vivre un certain temps sans manger, mais que peu de jours sans sommeil. Le manque absolu de sommeil devient mortel.

Le travail, l'activité physique et mentale usent le corps et produisent des déchets: créatine, créatinine, acide sarco-lactique, gaz carbonique. Ces toxines lorsqu'elles sont en trop grande abondance sont de véritables poisons qui s'accumulent dans les tissus et les cellules. Si elles ne sont pas éliminées ou si elles le sont insuffisamment, il se produit une auto-intoxication qui devient pathologique et conduit à la maladie puis à la mort. L'inactivité permet l'élimination de ces déchets. Il faut dès lors comprendre que le rythme activité-inactivité doit être proportionnel.

Ainsi le repos, le sommeil, la relaxation ne sont pas des états négatifs, des temps «perdus» ou des pertes de temps. Ce sont de véritables fonctions, importantes, (on dort à peu près pendant le tiers de son existence) et indispensables de la vie. Le docteur Pourcel a donné cette illustration: «Pendant le sommeil, l'organisme travaille mais à un tout autre régime qu'à l'état de veille. Aux activités conscientes font place celles à prédominance végétative. Tout se passe comme si, l'organisme étant une machine, à l'équipe de jour qui la fait travailler succédait une équipe de nuit qui balaie, nettoie, huile les rouages, recharge les accumulateurs. La première, dépense (et souvent dilapide); la deuxième, récupère et économise. [1]»

La loi de la santé qui est la plus galvaudée, entamée, perturbée, est certainement celle-là. La mécanisation, le bruit, l'usage abusif de l'électricité, ont détruit les heures calmes du jour et ont transformé la nuit en période d'activité intense, activité nerveuse, artificielle, irréelle.

L'homme récolte ce qu'il a semé et lui qui ignorait il y a quelques décennies, la dépression nerveuse, le stress et l'insomnie, en souffre maintenant chroniquement. Les conséquences: maladies variées et douloureuses, déséquilibres, troubles mentaux et nerveux innombrables, vieillissement prématuré, inaptitude à fournir un réel effort physique ou mental. En voulant nier le repos, l'homme ne peut plus travailler et le travail mécanisé, le travail à la chaîne, devient son lot pour l'aliéner encore plus. La noblesse du travail est morte avec l'instinct du repos, ce bonheur de l'abandon pour retrouver la force et la beauté.

Nous avons distingué la relaxation, le repos et le sommeil, trois états qui permettent à notre corps de se régénérer, de s'entretenir, de se bâtir. Il est intéressant de réfléchir au fait que le nouveau-né dort près de 20 heures sur 24 et ne se réveille que pour téter alors que le vieillard qui a fini sa croissance et chez qui la vie n'a plus les mêmes exigences de renouveau ne dort que 5 à 6 heures par jour.

Le repos, sous ces trois formes, est donc une fonction, la fonction qui permet à la vie de s'épanouir, de se fortifier, d'atteindre sa plénitude. Le repos adéquat en quantité et en qualité est le secret de la jeunesse du corps, du cœur et de l'esprit, car par lui les toxines physiques et mentales sont neutralisées et éliminées.

Étudions cette fonction sous ses trois aspects.

A.) *La relaxation* est la détente au milieu du travail, détente physique et détente mentale.

La détente physique permet d'économiser ses forces, de ne pas disperser inutilement son énergie, mais de la concentrer en vue d'un effort particulier qui deviendra alors plus facile. Lorsque l'homme travaille, qu'il prenne exemple sur les animaux. Un chat veut-il sauter un mur? Il ne fera bouger que les muscles strictement nécessaires à cette action. L'homme écrit-il? Non seulement sa main sera crispée sur le crayon mais son coude sera rigide, son bras dur, ses jambes nerveusement se plieront et se déplieront, son dos sera voûté, tendu sous l'effort et son visage participera à la tâche en se plissant, en se fronçant; déjà des rides le sillonnent et que fait-il? Il écrit une simple lettre de remerciements. Tout cet effort musculaire contribue-t-il à mieux écrire, à mieux s'exprimer? Non! Mais il laisse l'écrivain épuisé, plus fourbu que s'il avait fait quelques kilomètres à pied.

Lorsqu'il aura pris conscience de la tension de ses muscles, l'homme doit apprendre à la faire disparaître. Que son visage reste lisse, que ses lèvres sourient, que ses yeux soient clairs et son front lumineux. Le travail sera alors enrichissant, source de joie et non d'épuisement. Les exercices de relaxation sont très utiles à cette détente physique. Les massages amènent un soulagement. Le bain complet, tiède, d'une vingtaine de minutes est souvent miraculeux avant le repas du soir ou le coucher pour délasser et apaiser. La sieste avant le repas du midi, — ces quelques instants d'arrêt, d'oubli — est bénéfique à plus d'un épuisé et permet de terminer la journée avec force.

La détente mentale suit généralement une réelle détente physique. Un front lisse cache difficilement des pensées agitées. Un visage épanoui ne peut abriter l'angoisse. Cependant, pour éprouver une véritable détente de l'esprit, il faut un cœur serein sur lequel les soucis et les tracas de l'heure n'ont pas de prise. L'angoisse, l'agitation, le désordre, amènent l'épuisement et la ruine, puis font de l'homme une proie facile et sans défense. Où trouver cette détente indispensable au bien-être de l'homme? En lui-même? — Il est angoissé. En la société? — Elle est hystérie. En l'avenir? — Il est confusion. Alors?... J'aime cette voix qui sans se lasser dit encore aujourd'hui: «Venez à moi, vous tous qui êtes fatigués et chargés, et je vous donnerai du repos».[2] C'est la voix de Jésus. Laissez-la vous persuader.

B.) *Le repos est l'arrêt du travail* servile et quotidien, plus, le repos est l'arrêt du travail sous toutes ses formes. Le travail doit faire place au loisir (leisure), attitude mentale et spirituelle. C'est une attitude de non-activité, de calme intérieur, de silence. Le repos dans ce sens devient contemplatif. Le sens profond de ce repos qui restaure l'âme se trouve dans l'exclamation de Dieu qui, à la fin de la création, se repose et déclare que tout est bon. L'homme, lui aussi, doit se reposer de son travail afin de pouvoir contempler les œuvres de la création, s'en réjouir et y trouver un sens. Ce n'est que dans cette attitude du cœur et de l'esprit que l'homme peut appréhender la réalité, atteindre à la véritable culture, qui est la connaissance intime du Créateur et de ses créatures. Le silence, l'introspection, la capacité de contempler, sont essentiels à l'équilibre. Les divertissements, les amusements, les sports, n'ont pas leur place dans le véritable repos, qui est recherche de paix.

C'est pourquoi, dès la création, Dieu lui-même institua un jour de repos qu'il bénit et sanctifia en le mettant à part. Plus tard, il put écrire de son doigt, sur les tables de la Loi: «Souviens-toi du jour de repos, pour le sanctifier. Tu travailleras six jours et feras tout ton ouvrage. Mais le septième jour est le jour du repos de l'Éternel, ton Dieu: tu ne feras aucun ouvrage, ni toi, ni ton fils, ni ta fille, ni ton serviteur, ni ta servante, ni ton bétail, ni l'étranger qui est dans tes portes. Car en six jours l'Éternel a fait les cieux, la terre et la mer, et tout ce qui y est contenu, et il s'est reposé le septième jour: c'est pourquoi l'Éternel a béni le jour du repos et l'a sanctifié. [3]» Ce jour devint le signe d'une harmonie entre Dieu et les hommes, [4] un jour où, dans le repos, l'homme rencontre son Dieu pour le glorifier et le reconnaître comme Créateur. Ce repos hebdomadaire est le gage, pour l'homme, de sa santé spirituelle, morale et physique. Alors qu'il foulait de ses pieds le sol de notre terre Jésus a dit: «Le sabbat a été fait pour l'homme[5]», pour son bonheur, sa paix, sa force et sa joie. [6]

C.) *Le sommeil est l'arrêt de la conscience.* Cette activité périodique, commune à toute vie animale est fortement aliénée chez l'homme moderne qui souffre chroniquement et à l'échelle de sa civilisation, d'insomnie. L'Institut Gallup, aux environs de 1957, après une enquête dans huit pays différents, annonçait que la moitié de la population adulte des États-Unis dormait mal, soit, à l'époque, 50 millions de personnes. (Cela n'a pas diminué depuis mais a nettement augmenté. On compte maintenant de tout petits enfants souffrant d'insomnie.) L'homme ne pouvant vivre sans dormir, instinctivement, recherche un moyen de dormir. « Dormir à tout prix », dit-on et on ingère des somnifères. Hélas ! les somnifères, sédatifs, stupéfiants, ne procurent pas un vrai sommeil mais provoquent chez l'individu une narcose ou hypnose par une paralysie totale ou partielle du système nerveux central. Mais le sommeil naturel est une activité, quelque chose de positif. Il n'est pas lié à l'activité corticale mais il est un processus physiologique normal, lié à un centre du sommeil qui lui, fait partie du système nerveux autonome ou végétatif. Pendant le sommeil, l'activité cérébrale de même que l'activité métabolique ne sont pas arrêtées. Au contraire, elles sont indispensables à l'équilibre de l'homme et au renouvellement de son énergie. Le somnifère amène une prostration paralysant ces activités et amenant, de plus, une énervation considérable, car le corps d'une part, n'élimine pas les toxines accumulées dans la journée et d'autre part, il a à se défendre et à éliminer rapidement les poisons introduits de la sorte.

Comment alors trouver ou conserver un véritable sommeil physiologique ? Le sommeil, ne l'oublions pas, est lié au rythme veille-sommeil : pour un véritable sommeil, il faut auparavant une véritable activité à l'état de veille. L'exercice physique au grand air, la respiration profonde, la marche à pas rapides avant le coucher, favorisent et améliorent le sommeil. De plus, le rythme veille-sommeil est calqué et dépendant du rythme jour-nuit. Ainsi, le sommeil sera d'autant plus facile et naturel qu'il respectera les limites fixées à l'homme pour ses activités : le jour pour travailler, la nuit pour dormir. Le bon vieux dicton est toujours vrai, malgré l'avènement de l'électricité: « se coucher avec les poules, se lever avec le coq. »

Le sommeil nécessite un état d'apaisement physique, sensoriel et mental: il faut faire le calme en soi et le silence autour de soi autant que possible avant le coucher. L'usage des boules de cire, dites Quies, dans les oreilles, peut pallier au manque de silence réel, si la chambre à coucher donne sur une rue achalandée. Autant que possible, il faut que la chambre soit plongée dans l'obscurité, bien aérée et pas trop chauffée. Il est bon d'avoir la fenêtre entr'ouverte pour permettre un renouvellement d'air constant et favoriser les processus anabolisants du corps (réparation, reconstitution, accumulation d'énergie). Le lit sera dur afin d'éviter la fatigue musculaire. Enfin, le repas du soir sera léger ou pris plusieurs heures avant le coucher. En aucun cas, il ne faudra manger avant de dormir. Bien des insomnies, des cauchemars, sont dûs à un estomac trop chargé ou surmené. De plus, pour corriger et prévenir l'insomnie, il suffit souvent de ne pas prendre de stimulants (café, thé, cola, tabac, épices, chocolat, aliments concentrés — sucre, alcool). Ces produits sont extrêmement dangereux car ils masquent le besoin normal de repos. Ils empêchent ainsi la régénération du corps et produisent rapidement un épuisement nerveux qui peut mener à la dépression.

Le sommeil normal, physiologique, réparateur et bienfaisant, est une récompense d'une vie en harmonie avec les lois de la nature. Le sommeil est lié à la relaxation et est impossible sans cette dernière. Il faut se relaxer physiquement et mentalement avant le coucher. À ce moment, la méditation, le chant, la prière sont les garants d'un sommeil paisible. Il faut en déshabillant son corps, déshabiller son esprit et le laisser sans soucis ni tourments.

Le sage, l'Ecclésiaste l'a dit: « Le sommeil du travailleur est doux, qu'il ait peu ou beaucoup à manger; mais le rassasiement du riche ne le laisse pas

dormir.[7]» L'amour et la poursuite de l'argent amènent à l'homme de graves tourments dont l'absence de
sommeil n'est pas le moindre. Le manque de sécurité,
la peur de l'agression peuvent aussi être une source
terrible d'insomnie. J'aime m'endormir en demandant
à Dieu l'accomplissement de sa promesse:

> «Je me couche et je m'endors en paix. Car toi
> seul, ô Éternel! tu me donnes la sécurité dans ma
> demeure.[8]»

Le sommeil est une loi de la santé totale, de la
beauté et de la longévité et cette loi a ses racines
dans un esprit équilibré, un cœur satisfait et un corps
sain. C'est ainsi que la relaxation, le repos et le sommeil deviennent les sources intimes de la force, de la
joie et de la paix de l'homme et le reflet éclatant de sa
noblesse.

6

L'EXERCICE

Nous venons de voir que le repos, sous toutes ses formes, est indispensable à l'homme et qu'il doit nécessairement précéder toute activité. Nous avons insisté sur le fait qu'il était une facette seulement du rythme activité-repos. Par conséquent, l'exercice, sous toutes ses formes, est également essentiel au bien-être de l'individu.

Il fut un temps où le genre de vie de la majorité des peuples se caractérisait par le nomadisme: ces peuples étaient toujours en mouvement et leurs déplacements se faisaient en grande partie à pied ou à la rigueur à dos d'animal. Notre époque est également caractérisée par un certain nomadisme: l'homme moderne se déplace énormément. Hélas! Il le fait assis comme il travaille assis, se promène assis, fait du sport (!) assis. L'homme moderne a oublié qu'il avait des jambes.

Notre époque a un urgent besoin de comprendre que «le mouvement, c'est la vie.» Le Dr Schneider explique: «Le machinisme à outrance, qui nécessite trop de travail assis, comportant également une absence de mouvement ou des mouvements trop uniformes, entraîne chez les travailleurs un affaiblissement de la musculature, des troubles circulatoires et nutritifs. En effet, seul le muscle qui travaille sécrète les substances qui régularisent le fonctionnement du cœur et des vaisseaux.[1] »

D'autres savants sont allés plus loin: l'exercice musculaire aurait un rôle anticancéreux. Le Dr Schneider rapporte: « Reding (Bruxelles) a réussi à extraire du muscle strié une substance antitumorale. Il a obtenu la rémission de certaines tumeurs. Le travail musculaire favorise l'oxygénation des tissus (d'après P. G. Seeger, le manque d'oxygène constitue la base de la carcinogenèse[2]...»), en accélérant la circulation du sang qui se met à irriguer abondamment tous les organes de notre corps qui ainsi vivifié, peut mieux résister à la maladie et aux multiples agressions quotidiennes. Et le docteur de conclure: « Un travail musculaire à l'air pur reste la condition première de l'équilibre nerveux et hormonal du corps humain. Il devra compenser l'excès de travail cérébral. Aucun médicament, aucun rayon, aucun massage (mouvement passif), aucun bain, aucun régime, ne saurait remplacer l'exercice physique.[3] »

L'homme a donc besoin d'exercice et l'exercice qui lui convient le mieux est le travail physique dans un milieu naturel. Il n'y a rien de surprenant à cela. Qui ne se souvient de ce récit: « L'Éternel Dieu prit l'homme et le plaça dans le jardin d'Éden pour le cultiver et pour le garder.[4] » Dès avant la chute et ses terribles conséquences, l'homme noblement est jardinier. Il travaille physiquement, à l'air pur, et son ouvrage lui demande l'exercice de tous ses muscles, de toutes ses facultés. La malédiction prononcée par Dieu après le péché ne s'étend pas au travail, mais aux circonstances, aux formes de ce travail qui exige de nous plus d'efforts pour nous donner les mêmes satisfactions. Il reste nécessaire, indispensable.

L'homme, dont le rôle premier est de travailler physiquement, ne peut se soustraire à cette condition impunément. Il y perd rapidement la beauté et l'harmonie de ses formes, la régularité de ses fonctions digestives, éliminatrices et respiratoires, la force, l'endurance et l'immunité à la maladie, la noblesse du caractère, la patience, l'humilité.

Il est intéressant de remarquer que le travail contribua à développer le corps et l'esprit de Jésus tout au long de son enfance et de sa jeunesse. On peut imaginer la perfection de son travail. En tant que charpentier[5], il eut à travailler avec exactitude, à manier avec soin les outils, à exercer force et intelligence. Il portait ainsi le faix commun. L'apôtre Paul insista sur la valeur du travail manuel. Il le pratiqua lui-même — il était faiseur de tentes — et il a enseigné: «Mais nous vous exhortons, frères, (...) à mettre votre honneur à vivre tranquilles, à vous occuper de vos propres affaires, *à travailler de vos mains,* comme nous vous l'avons recommandé, en sorte que vous vous conduisiez honnêtement envers ceux du dehors, et que vous n'ayez besoin de personne.[6]» Ce travail est source de paix, de tranquillité, de liberté. Ne sont-ce pas là les joies de la vie, les valeurs mêmes de l'existence?

À notre époque, le travail a perdu son sens. Il n'est plus qu'un triste moyen pour avoir de l'argent et cet argent devient une source amère de plaisirs mièvres et destructeurs pour la plupart du temps. Le travail proprement physique n'existe plus vraiment dans son effort pur de conquête sur la matière. Il faut l'avouer, le travail est devenu routine, mécanisme abrutissant, ne demandant de l'homme aucune réelle participation de ses forces physiques ni même de ses facultés mentales nobles.

Il faut donc, pour la santé de l'homme total une conversion, une reconnaissance de l'effort, de l'exercice, du travail. L'homme devra d'abord devenir tempérant et définitivement abandonner tout poison tendant à masquer en lui l'image de Dieu: alcool, tabac, thé, café, cola, etc... Alors ses facultés mentales se fortifieront en même temps que son corps et l'exercice deviendra plaisant, agréable et soudain impérieusement nécessaire.

Nous avons dit que le meilleur travail est celui de la terre. Les meilleurs exercices sont ceux qui imitent les gestes de ce travail. La marche est dans cette optique indispensable. *Il n'y a pas de meilleur exercice.* Depuis la découverte du jogging il y a déjà eu de sérieuses mises en garde contre son usage excessif chez des personnes en mauvaise forme physique et au cœur fatigué. La marche reste cependant une activité tout à fait recommandée dans tous les états de santé, à tous les âges et dans toutes les conditions.

Marcher vous amène à respirer, à avaler de l'oxygène en abondance. Marcher est extrêmement économique. Marcher peut devenir très agréable. (Essayez et vous verrez). Mais il y a encore plus. Marcher est excellent pour le cœur. En fait, c'est l'aide la plus efficace de cet organe vital. Voilà pourquoi. Lorsque vous marchez une série de valves qui se trouvent dans les veines de vos jambes s'ouvrent et alors que les muscles se contractent à chaque pas que vous faites, le sang est poussé vers le cœur. Entre chaque pas, les valves se ferment. Ainsi alors que vous marchez les valves des veines de vos jambes s'ouvrent et se ferment alternativement et sans arrêt. Votre sang est poussé vers le cœur par vos muscles en action et votre cœur se trouve ainsi soulagé. En fait, vos jambes agissent comme une deuxième pompe, comme un véritable allié de votre cœur qu'elles soulagent. Imaginez les bienfaits que peuvent vous offrir une marche quotidienne! Vous devez le comprendre il n'y a rien de meilleur pour améliorer la circulation sanguine. Et combien cela est important! C'est une circulation sanguine adéquate qui permet le transport de l'oxygène et des nutriments à chaque cellule du corps. Ainsi tout ce qui entrave la circulation, entrave obligatoirement le bien-être et la santé. Alors que la circulation ralentit, l'énergie baisse, la joie de vivre diminue, la volonté s'affaiblit. Il est surprenant de penser à la simplicité de la vie: notre santé, notre bien-être, notre nutrition, notre vitalité, notre endurance dépendent fondamentalement de la vigueur de notre circulation sanguine et celle-ci dépend énormément de la quantité d'exercice que nous faisons chaque jour.

Il faudrait apprendre à dire: «Une marche chaque jour, éloigne le docteur...» Marcher, c'est bon, c'est très bon. Combien d'invalides, combien de malades chroniques, combien de personnes déprimées, parce qu'elles oublient leurs jambes! Rappelez-vous-en: marcher c'est bon pour le cœur; marcher améliore la circulation sanguine et l'oxygénation des tissus; marcher donne plus d'énergie; marcher soulage la tension nerveuse; marcher encourage un sommeil réparateur; marcher combat le vieillissement. Marcher s'est prévenir et guérir sans pilules, sans équipement dispendieux, sans traitements sophistiqués. Tout ce qu'il vous faut c'est prendre la décision de vous servir de vos deux jambes.

Il existe un autre bon moyen de vous garder en forme et c'est la gymnastique matinale chez soi. Que vos mouvements soient rapides, décidés, fermes et forts. Quelques instruments — des haltères, une corde à sauter, une corde à grimper attachée au plafond — de l'imagination et vous êtes prêts à imiter tous les gestes d'une activité physique intense. Qu'ils soient harmonieux, joyeux. Chantez pendant cette séance puis terminez-la par quelques minutes de détente profonde, une bonne douche tiède ou froide de préférence, une friction énergique au gant de crin sur tout le corps: vous êtes maintenant dynamique, ardent, prêt à aller au travail à pied, à emprunter les escaliers et à travailler dans votre bureau la fenêtre largement ouverte.

La vie! La vie se réveille dans votre corps grâce à un sang richement oxygéné qui rapidement le parcourt. L'élimination des déchets est activée, l'assimilation est améliorée. Et quelle détente, quelle joie de vivre et d'agir, quel bonheur d'être bien dans sa peau!

L'exercice ainsi conduit, dans le cadre de notre vie moderne, est le secret de la résistance à un rythme de vie artificiel. Mais, faut-il le souligner, l'exercice même est souvent exploité, dévié, perverti. Nous pensons ici au sport qui n'est plus «une récompense pour celui qui le pratique (mais) un spectacle pour les snobs» (Dr H. Diffre). Nous pensons aux compétitions qui conduisent au surmenage et font de l'homme une machine à exploits. Toutes ces formes ulcérées de l'exercice sont nocives. Le but visé dans toutes les activités humaines doit être l'harmonie des rythmes vitaux. L'exercice n'est effectif que dans le repos. Le repos n'est valable qu'après l'exercice. L'excès ou le manque de l'un ou de l'autre déséquilibre l'homme et détruit sa beauté physique et morale.

7

UN RÉGIME ÉQUILIBRÉ

Après avoir été pendant des années négligée, la nutrition est devenue un sujet de conversation courante. On s'y intéresse sérieusement car l'on comprend qu'elle joue un rôle prépondérant dans la santé. Certes, elle ne peut être la solution unique à *tous* les problèmes de santé, mais elle en reste une loi indispensable.

Avant d'aller plus avant, permettez-moi une mise au point essentielle: une alimentation très saine, à elle seule ne guérit pas. N'est-il pas dit que « l'envie est la carie des os [1] » ou encore: ce n'est pas ce qui entre dans l'homme qui le souille mais ce qui sort de son cœur? [2] Tout cela pour exprimer que la santé n'existe que chez celui qui est psychologiquement, spirituellement et physiquement équilibré. Tout ce qui tend à placer l'homme en dehors de l'équilibre de la nature et de la nature en général, le précipite dans la maladie. Ainsi, le manque d'exercice entraîne « un affaiblissement de la musculature, des troubles circulatoires et nutritifs » (Dr E. Schneider), le manque de soleil prive l'homme de rayons bienfaisants nécessaires à l'élaboration de certaines vitamines (à partir de provitamines placées sous la peau), elles-mêmes nécessaires au bon fonctionnement de certains organes. Quant à un état émotionnel déréglé, plus nuisible que le manque d'exercice ou le manque de soleil ou encore que l'alimentation la plus dénaturée, il est à l'origine de la majorité de nos maladies. Cela a été mis facilement en lumière par l'usage largement répandu du placebo qui guérit tout. « Un cœur joyeux est un bon remède[3] » a dit un sage. Il est certainement le premier des remèdes car le meilleur des repas avalé avec angoisse, peur ou haine restera sur l'estomac et provoquera des fermentations, des gaz, de la constipation et des maux de tête.

Un autre facteur décourage nombre de gens de s'aventurer dans la réforme alimentaire: la diversité des systèmes d'alimentation naturelle et surtout les multiples contradictions qui les opposent, parfois violemment les uns aux autres. Dans les grandes lignes, il faut reconnaître trois régimes humains traditionnels:

1) *Le régime omnivore*, son nom l'indique, amène l'individu à se nourrir de tout: de végétaux, de sous-produits animaux et de chair. De très nombreux peuples ont pratiqué ce régime avec de bons résultats car les végétaux (céréales complètes, fruits et légumes) en formaient la base et la partie majoritaire alors que l'usage du lait, des œufs et de la chair restait largement minoritaire parce que saisonnier.

2) *Le régime végétarien* exclut totalement la consommation de la viande, du poisson et des crustacés. Il se compose principalement d'une abondance et d'une variété de céréales complètes (blé, orge, avoine, seigle, épeautre, millet, sarrazin, riz, maïs) utilisées tour à tour sous forme de pain, de grains rôtis, de bouillie etc... de fruits et de légumes locaux et saisonniers, de légumineuses utilisées pour effectuer une complémentarité à la valeur protéique des céréales, de noix ou de graines en petites quantités, et selon

les climats et les saisons, d'œufs et de lait, sous forme de laitages lacto-fermentés. Le régime végétarien est encore aujourd'hui le régime habituel de la très grosse majorité de la population mondiale.

3) *Le régime végétalien* est un régime végétarien qui pour des raisons d'approvisionnement ou sanitaires exclut totalement l'usage des sous-produits animaux. La contamination bactérienne et virale des œufs et du lait, leur pollution médicamenteuse, leur piètre qualité biologique et les dangers connus qu'ils posent à la santé par leur richesse en gras poussent de plus en plus d'individus à les éliminer tout simplement de leur régime quotidien. Il est bon de se rappeler ici, que le régime végétalien a fait ses preuves au cours de plusieurs millénaires sur des millions d'hommes, de femmes et d'enfants dans de nombreuses populations africaines, australasiennes, indiennes et chinoises.

Ces régimes, en Occident, ont cédé il y a un peu plus d'un siècle, la place à un régime propre à notre civilisation industrielle: le régime *carnivore* qui ignore presque complètement et dédaigne, les jugeant inférieurs et inadéquats pour soutenir ses forces, les céréales complètes (qui sont données aux animaux), les fruits, les légumes, les légumineuses, les noix et les graines, pour ne consommer que de la viande, des pommes de terre et des «desserts. Ce régime n'est pas équilibré et il précipite chez tous ceux qui le pratiquent une dégénérescence physique, morale et intellectuelle rapide. Il est à la base de très nombreuses statistiques qui dans tous les domaines de l'activité humaine crient que notre race est arrivée au bout de son rouleau.

Alors que l'homme du 19e siècle était proprement omnivore et consommait environ 40 livres (18 kg) de viande par an et par personne adulte, l'homme de 1960, au Canada, consommait 174 livres (79 kg) de viande par personne. En 1950, il en consommait 143 (65 kg). (James N. Miller, in *Farm and Ranch*). En 1970, cette quantité a encore augmenté. Le *Consumer Reports* d'août 1971 («A Close Look At Hamburger») indiquait que les Américains consommaient annuellement une moyenne de 55 livres (25 kg) de hambourgeois pour chaque homme, chaque femme et chaque enfant dans le pays. Il ajoutait que cela était un immense acte de foi car «un très fort pourcentage des hambourgeois que nous avons acheté était sur le point de putréfaction». — Sans compter les bactéries dont le taux soi-disant acceptable est de un million par gramme (sur 250 échantillons seuls 39% comptaient ce taux de bactéries. Tous les autres le dépassaient largement). — Sans compter les insectes (broyés, naturellement) et les poils de rongeurs (rats, souris). — 55 livres de hambourgeois, sans compter les steak, roast-beef, poulet, dinde, jambon, fruits de mer, poissons. En étant modeste, l'homme nord-américain consomme environ 200 livres (90 kg) de viande par an et par personne.

Oui, un nouveau régime est né: le carnivorisme qui comporte l'usage presque exclusif de viande de qualité douteuse. Nous ne nous attarderons pas ici sur les méthodes d'élevage des animaux qui relèvent d'un barbarisme outré ou de leur alimentation qui relève de la pharmacopée et de la chimiothérapie.

Comment se retrouver dans ce dédale? Tous ces régimes perpétuent une partie du régime humain tel que pratiqué au cours des siècles de son histoire. Vous serez peut-être surpris d'apprendre que la Bible parle de régimes. Pourtant cela est vrai et c'est dans ce Livre que l'on trouve une explication cohérente et chronologique des changements de régime chez l'homme.

Selon la Genèse, Dieu crée l'homme de la poussière de la terre. Il est une statue. Il l'anime du souffle de la vie et le voilà une âme vivante. À ce moment, l'homme reçoit un ordre qui est aussi une promesse conditionnelle: «Tu ne mangeras pas de l'arbre de la connaissance du bien et du mal, car le jour où tu en mangeras, tu mourras.[4]» L'homme a donc devant lui la vie éternelle tant qu'il ne désobéit pas. Tel est son régime: «Voici, je vous donne toute herbe portant de la semence et qui est à la surface de la terre (donc les céréales), et tout arbre ayant en lui du fruit d'arbre et portant de la semence (donc les fruits): ce sera votre nourriture.[5]» L'homme mange donc les céréales et les fruits, l'animal, lui, mange l'herbe verte. «À tout animal de la terre, à tout oiseau du ciel et à tout ce qui se meut sur la terre ayant en soi un souffle de vie, je donne toute herbe verte pour nourriture.[6]» Ni l'homme, ni l'animal n'ont le droit de manger de la viande car cela signifie qu'il faille ôter la vie; or au paradis, la mort n'existe pas. Mais vient le serpent qui dit à la femme: «Vous ne mourrez point.[7]» — Même si vous désobéissez. La femme l'écoute et soudain arrive la déchéance et l'ordre divin: «Empêchons-le maintenant d'avancer sa main, de prendre de l'arbre de vie, d'en manger et de vivre éternellement.[8]» À ce moment, l'homme devient mortel — c'est la conséquence du péché — et un nouveau régime lui est alloué: «Tu mangeras de l'herbe des champs.[9]» L'homme conserve son premier régime mais y ajoute celui de l'animal. Puis «l'Éternel vit que la méchanceté des hommes était grande sur la terre, et que toutes les pensées de leur cœur se portaient chaque jour uniquement vers le mal[10].» ... «La terre était corrompue devant Dieu, la terre était pleine de violence. Dieu regarda la terre, et voici, elle était corrompue; toute chair avait corrompu sa voie sur la terre. Alors Dieu dit à Noé: La fin de toute chair est arrêtée par devers moi; car ils ont rempli la terre de violence; voici, je vais les détruire avec la terre.[11]»

Le déluge vient, soudain et irréversible. Il détruit, ravage tout. Puis la vie reprend et Dieu, une fois de plus, s'adresse à l'homme. Devant une terre dévastée, — les vergers et les champs ont disparu, les semailles et les récoltes n'ont pas encore eu lieu — il lui indique un régime où la viande va temporairement élargir une alimentation très restreinte: «Tout ce qui se meut et qui a la vie vous servira de nourriture: je vous donne cela comme l'herbe verte. [12]» Il est intéressant de relever l'expression «comme l'herbe verte». Dieu avait offert à l'homme, l'herbe verte pour nourriture alors que ce dernier venait de rompre ses relations avec lui. L'homme avait fui loin de la face de son Créateur, mais comme un tendre Père, il l'avait appelé. Il lui avait tendu la main et avec son pardon, il lui avait donné sa grâce, la promesse renouvelée de son amour inconditionnel. Il lui avait aussi révélé les réalités de sa nouvelle vie et entre autres il lui avait annoncé que son régime serait élargi. Deux mille ans plus tard, Dieu rappelle ce fait: Il donne la viande «comme l'herbe verte»... La viande est permise pour les mêmes raisons, dans des circonstances similaires mais ni l'une ni l'autre n'ont jamais vraiment fait partie de son plan originel pour l'homme. C'est pourquoi, elles doivent rester des ajoûts, des à-côtés, des pis-aller et ne jamais devenir la partie principale et certainement pas exclusive de l'alimentation humaine. Les céréales, les fruits, les noix, les graines et les légumineuses doivent rester la base et former la partie majoritaire de tout régime de vie et de santé.

Il est intéressant de noter que Dieu, cette fois-ci, amène de très nettes restrictions à ce régime: «Seulement vous ne mangerez point de chair avec son âme (c'est-à-dire en vie), avec son sang.» et, «sachez-le aussi, je redemanderai le sang de vos âmes, je le redemanderai à tout animal. [13]» C'est-à-dire, non seulement la vie d'un homme serait redemandée s'il prenait la vie d'un autre homme, mais aussi, en conséquence de ce régime carnivore, sa vie serait redemandée, serait raccourcie. Beaucoup d'exégètes ont trouvé dans cette sentence le secret de la réduction drastique de la longévité après le déluge.

Essayons de comprendre la signification d'un tel régime. Le minéral produit le végétal et ce dernier, de façon différenciée, va entretenir la vie chez l'animal ou encore chez l'être humain. L'animal est donc du végétal transformé. Quand l'être vivant meurt, il retourne à la terre et il lui redonne ce qu'il lui a pris. Le cycle est alors complet et fermé, suffisant et adéquat, car il ne s'effectue aucune perte.

Quand l'homme se met à manger l'animal, il perturbe un équilibre et plus encore, il en retarde l'accomplissement. L'homme se met à dépendre sur un intermédiaire pour assimiler le végétal. Il laisse ce soin à l'animal: l'animal mange de l'herbe — (en y pensant, je suis frappée par le fait que l'homme, à part de rares exceptions, ne mange que des animaux végétariens; s'il mange des animaux carnivores, le déséquilibre n'est que plus grand) et l'homme mange l'animal, i.e. du végétal transformé. À ce moment, l'homme doit, pour satisfaire ses besoins, transformer l'animal. Mais toute transformation implique une perte. Ainsi, l'homme carnivore ne peut jamais rencontrer ses besoins physiques adéquatement dans la viande. Or, l'homme dépend entièrement du végétal pour sa survie. En mangeant de la viande, l'homme accepte une déperdition constante de ce végétal et donc d'être mal nourri (et certainement suralimenté). L'homme ne rencontre jamais la quantité optimale et réelle de ses besoins. Il est ainsi aisé de comprendre que la Bible annonce avec l'adoption du régime carné une diminution marquée de la longévité.

Il est donc facile de conclure que l'homme n'a pas été créé pour manger de la viande et que si, 2000 ans après son départ d'Eden, alors que la terre vient d'être ravagée par le déluge, il reçoit la permission d'en manger, cela est un compromis nécessaire à ce moment-là, vu les circonstances. Normalement, naturellement, physiologiquement, l'homme n'a pas besoin de viande.

Une étude anatomique de l'homme confirme cela en révélant les faits suivants:

1) *L'intestin* de l'homme est très long alors que celui des carnivores est très court: la viande entrant en putréfaction rapidement, doit être digérée et

expulsée le plus vite possible.

2) *Les canines* de l'homme sont faiblement développées et il est clair que d'essayer de comparer la canine de l'homme à celle de l'animal carnivore est comparer le sein de l'homme à celui de la femme et les juger identiques et aptes à la même fonction.

3) *Le suc gastrique* de l'homme contient peu d'acide chlorhydrique qui permet la dégradation de la viande, d'où digestion imparfaite et les conséquences que cela implique.

4) *Le foie* de l'homme n'est pas capable de transformer l'acide urique en urée comme celui des carnivores. (Et le foie de ces animaux est proportionnellement plus volumineux que celui de l'homme.) En effet, l'organisme de l'homme manque d'uricase, ferment hydrolytique grâce auquel l'acide urique est transformé en allantoïne et aisément éliminé par les reins. Le travail d'élimination de l'acide urique revient donc aux reins, organes rapidement submergés et dégradés par cette excrétion forcée sous une forme brute. Or la viande est très riche en acide urique et purines, substances intoxicantes et énervantes.

5) Finalement, lorsque l'homme mange de la graisse animale, cette graisse n'est jamais transformée en graisse humaine. Ainsi, le suif de mouton garde dans le corps ses caractéristiques propres. Celui qui mange du lard accumule des réserves qui conservent dans le corps les caractéristiques mêmes de cette graisse de porc. La véritable graisse humaine se forme à partir des glucides.

C'est ainsi que les anthropologues sont catégoriques. L'homme n'est pas un carnivore. Tant que l'homme se contentait d'une ration très minime de viande, le problème était presque nul. En effet, chez tous les peuples de l'Antiquité, que ce soit chez le paysan ou le soldat, la viande était le plat d'exception, de fête, de réjouissances. (On tuait alors le veau gras.) Les Hounzas consomment de la viande une fois par an et leur consommation s'élève entre 4½ livres et 6½ livres (2 et 3 kg) par an et par personne... et l'on connaît leurs performances extraordinaires, leur longévité heureuse et leur vie plus exempte que la nôtre de maladies aussi bien physiques que mentales.

Mais à l'heure actuelle! Alors que l'on découvre scientifiquement que l'homme n'est pas fait pour manger de la viande et quelles sont les conséquences tragiques de l'abus de cette denrée dans la genèse de nombreuses maladies (arthritisme, goutte, rhumatisme, allergies, artériosclérose, polycythémie, calculs biliaires, hypertrophie prostatique, fibromes utérins et même tumeurs cancéreuses), l'homme nordaméricain en consomme jusqu'à 200 livres (90 kg) par an!

Peut-on encore être surpris de l'état de maladie extrême de notre civilisation? Car, j'insiste, non seulement il y a à l'heure actuelle un excès outré de la consommation de la viande, mais encore cette viande est malsaine. Ce ne sont pas des poulets de grains que vous mangez mais des poulets aux hormones que la cuisson ne détruit pas. Ce ne sont pas des bœufs au pâturage, des veaux de lait, mais des bœufs et des veaux aux antibiotiques, aux pilules anti-sexuelles, aux sulfamides. Ce sont des poissons, des fruits de mer au mercure, radio-actifs et chimifiés.

Le monde antique fut bouleversé par les armées babyloniennes, grecques et romaines qui parcoururent le monde à pied, le conquirent, l'asservirent à la seule force de leurs bras. Leur régime? — grains de céréales rôtis et masses de fruits séchés. En 1810, l'homme, à la seule force de 40 livres (18 kg) de viande par an, de bouillies de blé et de pommes de terre bouillies, parcourait plusieurs milles à pied chaque jour, cultivait sa terre, bâtissait sa maison, faisait ses meubles, confectionnait son pain, ses conserves, lavait son linge et tout cela avec la seule énergie de son corps. Aucune machine ne le soulageait dans son travail. Vous mangez à l'heure actuelle environ 200 livres (90 kg) de viande par an (aliment appelé de force, d'endurance et d'énergie) et quelle activité physique et mentale déployez-vous? Voiture, ascenseur, fauteuil, ascenseur, voiture, fauteuil, lit... Alors que font ces 200 livres (90 kg) de viande dans votre corps?

Un régime équilibré sera donc composé principalement quelle que soit son option, (omnivore, végétarienne, végétalienne) de céréales complètes, de fruits, de légumes et de légumineuses. L'expérience, le laboratoire et les recommandations gouvernementales encouragent de diviser ainsi la ration alimentaire quotidienne: 10% de protéines, 25% de graisses et 65% d'hydrates de carbones, ces éléments étant tirés d'aliments entiers, non raffinés variés et frais. Ces aliments répétons le, sont les céréales complètes, les fèves, les fruits, les légumes, les noix et les graines. La viande, les œufs et les produits laitiers doivent rester minoritaires. Il faudrait les considérer comme des suppléments aux végétaux et jamais comme des aliments de base ou de résistance. Ainsi la viande ne devrait jamais être servie plus de 3 à 4 fois par semaine, ces portions n'excédant pas 125 g et jamais avec des œufs, du fromage ou des noix. Cela amènerait automatiquement un excès de protéines et de graisses préjudiciables à l'organisme.

Un régime sain, quelle que soit son option, évite naturellement toutes les substances suivantes: thé, café, alcool, cacao, cola, tabac; les aliments raffinés et dénaturés: pain blanc, riz poli, sucre blanc, boissons gazeuses, pâtisseries, bonbons, chocolat, etc... Ces produits usent le corps et le privent des vitamines et des minéraux essentiels à son bon fonctionnement. Il recherche la plus grande variété possible de fruits, légumes et céréales sous leur forme naturelle, fraîche et entière. (N'oublions pas que c'est là le véritable régime de l'homme).

Finalement un régime pour rester équilibré lorsqu'il choisit d'inclure une petite quantité de viande à son menu n'acceptera de consommer que de la viande saine, d'animaux sains. De plus il serait bon de se rappeler les conseils bien précis que Dieu donna à l'homme lorsqu'il lui permit de manger de la viande.

1) Interdiction de manger du sang: «Vous ne mangerez point de sang, ni d'oiseau, ni de bétail. [14]»

2) Interdiction de manger de la graisse: «Vous ne mangerez point de graisse de bœuf, d'agneau ni de chèvre. [15]»*

3) Obligation de manger de la viande fraîchement tuée. La viande non consommée après 3 jours doit être détruite. [16]

4) Abstinence totale des viandes dites impures: le chapitre 11 du *Lévitique,* le chapitre 14 du *Deutéronome* sont précis. L'homme considérera comme purs tous les animaux qui ruminent, qui ont la corne fendue et le pied fourchu: le bœuf, la brebis, la chevre, etc... Tous les autres seront considérés comme impurs: le lièvre qui rumine mais n'a pas la corne fendue, le porc qui a la corne fendue mais qui ne rumine pas, le cheval qui n'a pas la corne fendue, etc... Parmi les animaux qui sont dans les eaux, seuls ceux qui ont des nageoires et des écailles seront propres à la consommation: cela exclut les anguilles et tous les fruits de mer. Seuls les oiseaux purs pourront être mangés: poule, canard, dindon, pigeon, etc... seront impurs le cygne, l'aigle, le hibou, la chouette, etc...

---

* Alors que la recherche scientifique déclare maintenant que la plus grande cause de tous les cancers est une consommation excessive de gras animal sous forme de viande et de produits laitiers, cette recommandation devrait être particulièrement prise au sérieux. J'y vois beaucoup d'amour de la part d'un Père tendre et miséricordieux qui nous dit, encore aujourd'hui: «Pourquoi mourriez-vous? Car je ne désire pas la mort de celui qui meurt. » (Ézéchiel 18 (31-32))

«Vous observerez la distinction entre les animaux purs et impurs, entre les oiseaux purs et impurs, afin de ne pas rendre vos personnes abominables par des animaux, des oiseaux, par tous les reptiles de la terre que je vous ai appris à distinguer comme impurs. Vous serez saints pour moi, car je suis saint, moi, l'Éternel. [17] »

Beaucoup de gens ont vu dans cette distinction des viandes un geste arbitraire d'un Dieu sévère ou encore ont considéré cette interdiction de manger certaines viandes, en particulier le porc, comme une ordonnance proprement judaïque ne comportant pas d'obligation pour les chrétiens. Pourtant l'apôtre Paul n'exhorte-t-il pas les chrétiens avec cette parole: «Ne touchez pas à ce qui est impur [18] » ?

La science a démontré les fondements de telles interdictions. Plus particulièrement quant à la viande de porc, elle a prouvé que Dieu, en l'interdisant, avait fait preuve de beaucoup de sagesse et d'amour envers l'homme. Il n'est plus un secret que la viande de porc est infestée d'œufs de ver solitaire.*Il semble (?) que la cuisson tue la plupart de ces parasites ainsi que les œufs microscopiques, mais les poisons, excrétions des vers, demeurent dans les tissus de la viande. De plus, ce qui depuis longtemps se dit officieusement, a

---

* À ce sujet, je cite Adelle Davis, une autorité américaine en nutrition: «La trichinose est causée par un parasite qui est transmis par le porc à l'homme. Presque tout le porc en est infecté. Les trichines éclosent dans le corps humain et se logent dans les muscles et tendons. Le corps forme des capsules de calcium autour des parasites, et c'est ainsi qu'elles deviennent l'huître dans laquelle ils sont les perles. Ces capsules murées causent des douleurs chaque fois que la personne infectée bouge. Lorsque l'alimentation est déficiente en calcium et vitamines C ou D, les capsules se brisent, les trichines émigrent ailleurs, se multiplient rapidement et se logent dans d'autres muscles et tendons. Quoique la trichinose soit difficile à diagnostiquer, les autopsies indiquent que 20 % de toutes les personnes sont infectées. Des millions de personnes passent des années de leur vie à se sentir mal uniquement à cause de ce seul problème. » (Let's Cook It Right, p. 39).

été déclaré officiellement par l'Organisation Néerlandaise de Lutte contre le Cancer: la viande de porc est cancérogène. Après une étude statistique, elle a démontré que la moyenne des malades souffrant de cancer de l'estomac, consomme 50% de lard et de charcuterie de plus que la moyenne des Néerlandais. Quant aux crustacés, qui ne sait pas qu'ils sont les poubelles de la mer et qu'ils ne se nourrissent que de chair putréfiée? De plus, ils contiennent un très haut taux de cholestérol.

Un régime équilibré est une loi fondamentale de la vie. L'insistance avec laquelle Dieu le définit et cherche à lui conserver ses caractéristiques originelles en est une preuve suffisante. Ne désirez-vous pas maintenant en découvrir les merveilles (simplicité, économie etc...), jouir enfin de ses bienfaits, en tirer toute la joie, la force, la vigueur et la santé qui lui sont inhérents? Les menus et les recettes donnés à la fin de ce livre dans la partie pratique vous permettront d'élaborer un régime équilibré.

Manger sainement a un autre avantage, celui de vous permettre de demander sur vos repas la bénédiction de Dieu et de démontrer d'une façon pratique que vous l'aimez. «Soit que vous mangiez, soit que vous buviez, soit que vous fassiez quelqu'autre chose, faites tout pour la gloire de Dieu.» [19]

8

L'USAGE DE L'EAU

Un homme fatigué est assis auprès d'un puits. Une femme vient-y puiser de l'eau et cet homme, Jésus, lui demande à boire. La femme hésite, elle est Samaritaine, lui, Juif, et il est de tradition de ne pas se parler... Alors Jésus ne demande plus mais offre... «Quiconque boit de cette eau aura encore soif; mais celui qui boira de l'eau que je lui donnerai, n'aura jamais soif et l'eau que je lui donnerai deviendra en lui une source d'eau qui jaillira jusque dans la vie éternelle. [1]»

Avoir soif! et vouloir boire...

«Si quelqu'un a soif, qu'il vienne à moi et qu'il boive. Celui qui croit en moi, des fleuves d'eau vive couleront de son sein. [2]»

L'homme moderne peut-il encore comprendre la beauté, la pureté de l'eau et la grandeur de ses symboles, lui qui boit sans soif, qui mange sans faim et aime sans désir? Pourtant l'eau pure, cette eau qui chante et fertilise, cette eau qui rafraîchit et purifie et lave, cette eau est une condition de la vie.

L'eau, sous ses multiples formes, entretient la vie. Les eaux d'en-haut — la rosée, «le meilleur don du ciel», et la pluie — arrosent la terre, la rafraîchissent, la fertilisent et permettent les moissons. Les eaux d'en bas — la mer, les fleuves, les ruisseaux, les torrents et les sources — foisonnent d'êtres vivants et animent les paysages en permettant une végétation abondante et luxuriante. Le pays traversé par de nombreux cours d'eau est un pays riche, gai, vivant. Point n'est besoin de le prouver abondamment: la mer sèche, le désert apparaît. Le désert n'a pas d'arbres, alors il n'a pas de pluies et... «où sont les hommes»?

Ah! comprendre la triomphale beauté de l'eau et l'aimer! Et aimer n'est-ce pas respecter? Pourquoi alors traiter l'eau comme un dépotoir ou la trafiquer au moyen de produits chimiques? Oh! l'horreur de la vie quand l'eau tue et meurt, après un lent empoisonnement. Les poissons filent le ventre en l'air et les hommes n'osent plus se baigner, ni boire. L'eau vive est devenue eau morte.

L'usage de l'eau est une loi essentielle de la santé. L'eau est le liquide primordial de notre planète. En effet, 71% de sa surface est occupée par des mers. Elle est également le liquide primordial de notre corps qui en contient 70% diversement répartis suivant les types cellulaires.

L'eau est le solvant du corps. En coopération avec des acides, elle participe à la digestion et à l'assimilation de nos aliments. Elle est l'agent lubrificateur de toutes nos parties mouvantes. Elle est le régulateur de la température du corps. De nombreux maux peuvent être très simplement des symptômes d'un manque d'eau: basse pression, maux de tête, constipation, peau sèche, rides précoces. Une personne sédentaire et dont l'alimentation est riche en viande et en sucre a rarement soif. Pourtant son corps perd quotidiennement de 2 à 4 litres d'eau qui doivent être remplacés si elle ne veut pas que ses processus vitaux soient entravés.

L'eau est de diverse qualité. «Suivant les substances qu'elle véhicule, elle est dite «potable» ou valable uniquement pour les bains, ou médicinale (minérale) ou non buvable. Sa non-potabilité peut encore dépendre de microbes ou virus et être fonction de la saison...» L'eau potable est limpide, incolore, inodore, agréable à boire et jaillit fraîche. De plus, il faut insister ici sur le fait qu'une eau potable n'est pas seulement une eau dépourvue de microbes et de bactéries infectieuses, mais aussi des produits chimiques destinés à les éradiquer. Personne ne peut prétendre de bonne foi, qu'une eau javellisée, chlorurée ou fluorurée est une eau potable et encore moins une eau pure. Trafiquer l'eau par les pollutions industrielles (cyanure, phénols, mazout, radio-activité...), ménagères (déchets, détersifs non biodégradables), agricoles (engrais solubles, insecticides, fongicides, produits de synthèse, D.D.T., parathion, chortion, etc...) puis la trafiquer à nouveau pour la rendre «potable» à l'aide de produits antiseptiques, puis la trafiquer encore pour en faire une médication de masse sans l'avis de la population ni le consentement de l'individu intéressé avec du fluorure de sodium, tout cela est angoissant.*

Je pense avec tristesse que si l'homme avait adoré son Créateur et s'était reposé le sabbat, jour béni et sanctifié afin de commémorer la création et son Auteur, il n'aurait pu ainsi souiller cette source de vie. Faut-il que retentisse le cri: «Le temps est venu de détruire ceux qui détruisent la terre»?[3] Se

---

* La qualité de l'eau est un souci réel et profond tant des gouvernements que des individus. L'assainissement des eaux fait l'objet de programmes qu'il faut encourager. Il serait cependant dommage que cette triste réalité, la dégradation de la qualité de l'eau potable, nous amène à négliger son usage quotidien. La recherche de l'idéal ne doit pas nous entraîner à rejeter ce qui est nécessaire à notre santé même si cela ne répond pas à tous nos critères. Il est certainement beaucoup plus dangereux pour la santé de se priver d'eau. Pensez au pouvoir adsorbant du charbon activé. (Voir du même auteur, Mon «petit» docteur, Orion, 1986.

peut-il que l'homme ait oublié son Créateur, non seulement en remplaçant la beauté de son geste par une puérile théorie évolutionniste *mais surtout en avilissant sans crainte les œuvres de sa création au point que maintenant « la création toute entière soupire et souffre les douleurs de l'enfantement. [4] »

Je m'attarde... Je ne veux m'arrêter d'insister sur la perfection des œuvres de Dieu, car c'est parce que Dieu a inscrit en nous et en l'univers des lois de repos, d'activité, d'équilibre, que tout cela est bon pour l'homme. « Interroge les bêtes, elles t'instruiront, les oiseaux du ciel, ils te l'apprendront. Parle à la terre, elle t'instruira; et les poissons de la mer te le raconteront. Qui ne reconnaît chez eux la preuve que la main de l'Éternel a fait toutes choses? [5] » Qui? Il semble qu'à la fin du 20e siècle beaucoup de gens ne reconnaissent plus cette preuve et de combien de joie, de bonheur et d'émerveillement ne se privent-ils pas!

L'eau en usage interne

Nous l'avons vu, l'eau forme une bonne partie de l'homme. Il a donc besoin d'eau. L'homme ne peut être sain s'il ne consomme pas suffisamment d'eau pure chaque jour. Un régime équilibré composé en bonne partie de fruits et de légumes fournit une partie de la ration d'eau quotidienne. En effet tous les végétaux sont riches en eaux. Par exemple, les bananes ont de 67 à 71% d'eau; les ananas 75%; les fraises 87 à 92%; les melons 93 à 96%; les verdures 93%. Cependant, il est indispensable de consommer en plus d'une grande variété de fruits et légumes, six à huit verres d'eau chaque jour. Si l'excès en eau (qui est plutôt rare dans notre société sédentaire et sous notre climat froid ou tempéré) est nocif car il fatigue les reins et le cœur et dilue les sucs digestifs, la carence en

---

* « Les grandes théories de l'évolution semblent aussi naïves l'une que l'autre et il serait temps de faire table rase de ces contes de fées pour grandes personnes » disait Jean Rostand.

eau affecte les reins, empêche l'évacuation normale des impuretés et on a pu observer au-dessous d'un certain niveau d'eau de véritables changements dans la conduite des gens et leur caractère. Les premières cellules à souffrir d'une carence en eau sont naturellement les cellules du cerveau composées à 85% d'eau.

Cependant il est important de ne pas boire pendant les repas ou tout au plus un verre d'eau et jamais en même temps que l'ingestion des aliments. L'eau dilue la salive et les sucs digestifs qui ne peuvent plus travailler correctement. Il faudrait boire une demi-heure avant le repas ou quelque temps après. Voici un truc : le plus inoffensif des laxatifs est un ou deux verres d'eau chaude pris au lever et bus lentement. On peut y ajouter du sel de mer. L'effet n'est pas long à se manifester.

L'eau en usage externe

Elle est d'abord un agent important de propreté et de rafraîchissement. Puis un agent extraordinaire de santé. J'ai nommé : l'hydrothérapie.

— Pour la toilette, l'eau peut à elle seule suffire. Point n'est besoin de savon caustique, décapant de l'huile naturelle du corps et donc énervant. L'eau tiède nettoie mieux que l'eau très froide ou très chaude. Il y a de la joie dans cet acte de se laver qui amène détente et oubli des soucis. La propreté est certainement un premier pas indispensable vers la santé.

— L'eau est un grand éducateur des centres de régulation thermique. Il est indispensable que l'homme acquière une résistance au froid et aux maladies en aguérissant sa peau au contact de l'eau froide ou chaude sous forme d'ablutions, de jets, de douches. La peau, fortement stimulée, réagit par une augmentation de la circulation sanguine périphérique. Elle se réveille, devient souple, et tonique.

— Un corps entraîné à lutter contre les intempéries, est rarement malade. Il garde sa vigueur et jouit d'une longévité enviable parce que dépourvue de malaises. La marche nu-pieds dans l'eau est un exercice propre à endurcir le corps. Eh! oui, moyen décrié, il est pourtant reconnu comme extrêmement efficace dans les pénibles poussées de sang à la tête, dans les inflammations des voies respiratoires supérieures (nez et pharynx) ainsi que dans certains maux ayant leur siège dans la poitrine et l'abdomen, en particulier les maladies de la vessie. Le professeur Matthes a introduit la marche dans l'eau à la clinique de l'Université de Marburg (Allemagne de l'Ouest) et a souligné dans une publication médicale l'efficacité de cette technique dans les cas de congestion et de vertiges dûs à l'artériosclérose. Les pieds exposés à l'air frais ou à l'eau froide respirent et l'élimination des déchets est activée. Le professeur Winternitz de Vienne affirme: « Lorsque, à cause d'occupations sédentaires, de manque de mouvement et de nourriture trop riche, les gens souffrent de vertiges, de congestion de la tête, d'engorgement du foie, de digestions difficiles, etc., la marche nu-pieds est un excellent facteur de dérivation. Ce remède s'est révélé non moins efficace, à côté du bain d'air, dans les cas de surexcitation ou de dépression nerveuse. »

Comment procéder? Résumons ici plusieurs pratiques de santé que vous pourrez incorporer dans une petite routine matinale. Au saut du lit, après avoir dormi sept à huit heures dans une pièce bien ventilée et pas trop chauffée, allez à la salle de bain. Faites couler l'eau froide dans la baignoire. Pendant ce temps, brossez vigoureusement vos cheveux puis rafraîchissez votre bouche. Vous pouvez frotter vos gencives et vos dents avec vos doigts que vous aurez trempés dans de l'huile d'olive et du sel. Elles se réveilleront et chanteront. Maintenant entrez dans la baignoire. L'eau vous arrive à mi-mollet et piétinez! une, deux minutes, sortez et frottez-vous énergiquement au gant de toilette. Respirez profondément. Chantez. Ah! le sang se met à circuler et vous vous sentez heureux. Cet exercice a un effet spécialement sensible sur la circulation du sang dans le cerveau qui se décongestionne. La stimulation physiologique et bénéfique qu'il provoque ranime les cellules cérébrales et il peut ainsi améliorer, au fil du temps, votre mentalité, votre personnalité.

Une autre application facile de l'hydrothérapie est le bain de bras. Il est en fait un tonique idéal du cœur. Il a l'avantage de pouvoir être pris à tout moment et par tous. Il réunit l'effet des médicaments fortifiants pour le muscle du cœur et celui des calmants pour les nerfs et il a sur ces remèdes l'avantage de ne pas être nocif. Il n'y a qu'à remplir un lavabo assez profond ou une cuvette disposée sur une table et y plonger lentement les deux avant-bras. L'eau arrive un peu au-dessus du pli du coude. Au sortir du bain, secouer les bras et exécuter avec ceux-ci des balancements très lents de grande amplitude. L'eau doit être de 50 à 60°F (10 à 15°C) et le bain durer de 10 à 30 secondes. Le bain est alors particulièrement utile pour agir sur la circulation et le système cardio-vasculaire. À l'eau chaude 104°F (35 à 40°C), il peut durer de 9 à 15 minutes et il combat alors l'inflammation des membres, régularise la chaleur animale et est un antispamodique de la région cardiaque.

Les aspersions d'eau froide alternativement sur la partie basse de l'abdomen et le périnée ont des effets remarquables. Les jets d'eau doivent être appliqués lentement et régulièrement pendant environ 30 secondes. L'eau doit être la plus froide possible. Elle cause alors une vigoureuse contraction des muscles. Ceci est excellent en cas de congestion telle que manifestée dans les descentes d'organe ou dans les inflammations du pelvis et dans les cas d'hémorroïdes.

Si vous avez des difficultés à avoir un sommeil profond, si vos reins, votre estomac, votre foie sont paresseux, essayez un enveloppement jusqu'à mi-corps pendant la nuit. Prenez une serviette de bain que vous mouillez avec de l'eau froide. Essorez le surplus d'eau. Enveloppez-vous dedans, recouvrez d'un linge sec puis d'une couverture de laine. Détendez-vous, couché sur le dos. Vous ne tarderez pas à obtenir un sommeil profond, réparateur, un sommeil vital. [7]

Et finalement, pour votre beauté, pour la jeunesse du visage, de son expression, pour la fermeté des chairs, pour retarder ou même effacer les rides grâce à une circulation sanguine activée: l'ablution et le bain du visage à l'eau froide. Pour l'ablution, il s'agit de doucher le visage avec un jet de faible intensité en décrivant des cercles autour du visage. On insiste sur le front par un mouvement de va-et-vient. Pour le bain, on inspire profondément puis on plonge le visage dans un récipient d'eau froide. Chaque immersion dure de 20 à 40 secondes. On peut faire mouvoir les globes oculaires dans tous les sens puis contracter fortement les paupières. Ceci est excellent pour fortifier la vue et détendre les yeux fatigués. Quand l'exercice est terminé, ne pas essuyer le visage mais le laisser sécher à l'air et au soleil ou l'enfouir dans une serviette douce.

Multiples sont les applications de l'eau. Le Dr Henry Lindlahr l'a dit: «Il n'y a pas de cure qui guérisse tout; mais s'il y en avait, cela serait l'eau froide correctement appliquée.» Le Dr Schalle (France) explique: «Les applications d'eau froide n'agissent pas seulement sur la circulation du sang, mais encore sur tout son équilibre thermique, et de ce fait, sur le métabolisme. Cela s'explique très bien si l'on considère que le réseau ténu des vaisseaux de la peau (capillaires) est le véritable siège des échanges organiques, le but de la circulation et que ces vaisseaux précisément sont les premiers que l'eau incite à un fonctionnement plus intense. Des applications généralisées augmentent les échanges respiratoires et activent les combustions dans les muscles. Il est prouvé que des applications d'eau froide (ou très chaude) augmentent l'élimination des acides et sels du sang. C'est ainsi que l'action exercée sur la peau désacidifie et désintoxique celui-ci. Les substances, causes de maladies (pathogènes) sont ou dissoutes, ou isolées, puis rejetées. Il a été démontré aussi que la cure d'eau froide augmente la teneur du sang en hémoglobine et le nombre des globules rouges. En même temps, les éléments de défense du sang (anticorps) sont accrus de façon étonnante.»

Je n'ai nommé que quelques applications de l'eau. Mais elles sont multiples, infiniment variées et toujours efficaces si l'on applique la règle qui veut que plus l'eau est froide, plus l'application sera courte et qu'elle doit toujours se pratiquer sur un corps au préalable réchauffé par le mouvement.

Comprendre l'eau. Aimer l'eau. Et lorsque Dieu s'exclame: «Ils m'ont abandonné, moi qui suis une source d'eau vive, pour se creuser des citernes, des citernes crevassées, qui ne retiennent pas l'eau[8]», pleurer... car on connaît la puissance de l'eau vive toute ordonnée au bien-être de l'homme et l'on connaît l'horreur de l'eau morte qui tue l'homme à cause de l'homme. Dieu, une source d'eau vive, l'homme, une citerne crevassée... Ah! Avoir soif et vouloir boire...

«Seigneur, donne-moi de cette eau afin que je n'aie plus soif.[9]»

9

LA CONFIANCE EN DIEU

Qu'il fait beau aujourd'hui! Je me suis assise dehors, en plein soleil et je me réjouis du vent léger, du ciel bleu, des magnifiques fleurs qui s'étalent à mes pieds. Je suis heureuse et pourtant je ne puis éviter de remarquer les arbres dépouillés de leurs feuilles, les fleurs fanées et le chat qui marche en clopinant depuis un accident survenu l'été dernier. Je ne puis oublier non plus la voix noyée de larmes et d'angoisse de cette jeune femme qui hier me racontait sa misère au bout du fil. La description atroce de sa maladie qui torture sa vie depuis des années, son appel à la compassion, son désir de vivre ont bouleversé mon cœur... Mais ce qui m'a fait le plus mal, c'est son sanglot: «Pourquoi?...» C'est dans ces instants où la voix se brise, où l'esprit est meurtri, où demain est sans espoir, que cette question est particulièrement douloureuse. C'est la minute de vérité. L'illusion n'existe plus. Il faut l'avouer: Le paradis est perdu. Et chaque jour, tout autour du monde, cette réalité s'impose au cœur de l'homme avec des accents de désespoir, de révolte, de dégoût, d'angoisse, de supplication, d'incompréhension totale, de tristesse, de déception

amère, de souffrances atroces... Et pourtant au
commencement, Dieu créa... et *tout* était très bon. [1]
Oui, le paradis a existé et au cœur de ce magnifique
jardin qui offrait une abondance de fruits, de noix, de
graines, de céréales et de légumineuses succulents,
parfumés et nourrissants, au cœur de ce jardin noyé
de lumière et de soleil, égayé de cours d'eau limpides,
embaumé par l'odeur suave de fleurs aux coloris déli-
cats, se trouvait l'homme créé «à la ressemblance de
Dieu» [2]. Béni par Dieu, appelé à se multiplier, à cultiver et à garder ce jardin, il était sain, parfaitement
sain et heureux parce qu'il vivait en harmonie avec
les lois de la santé et qu'il était uni par l'amour et le
respect à Dieu, son Père, son Créateur. Par un choix
que chaque être humain sur cette planète répète,
l'homme décida de satisfaire ses propres appétits au
détriments de sa santé totale, et depuis lors, la maladie
et la mort sont devenues les dures réalités d'une humanité qui conserve au cœur le désir, le besoin et la
nostalgie douloureuse du paradis perdu. Il est difficile
de s'avouer vaincu. Dans son envie frénétique de nier
la réalité, dans sa recherche effrénée de jeunesse, de
vigueur et de bonheur, l'homme devient une proie facile pour quiconque promet le paradis sur terre. Il se
laisse attirer par la plus mince illusion. Il se laisse
capturer par les promesses les plus extravagantes. Il
se laisse séduire par les supercheries les plus gros-
sières, avide qu'il est de bénédictions sans désir réel
d'obéissance.

Étreint par ce besoin de retrouver le paradis
perdu, notre monde a tendance à placer sa confiance
dans les hommes, dans leurs inventions, leurs systèmes, leurs remèdes et il oublie qu'ils sont des êtres
aussi mortels, aussi malades, aussi angoissés que lui.
Certes la confiance en l'homme est une inclination
naturelle de notre nature en rébellion... Mais au
terme de déceptions accumulées, l'homme désabusé
n'écoutera-t-il pas Dieu qui lui dit avec insistance:
«Cessez de vous confier en l'homme dans les narines
duquel il n'y a qu'un souffle, car de quelle valeur est-

il?»[3] Le chemin du paradis perdu est toujours le même. Aujourd'hui comme hier, il doit passer par le chemin de l'obéissance à Dieu et aux lois qu'il a établies pour notre bonheur.

Ainsi toute thérapeutique quelle qu'elle soit qui nous amène à placer passivement ou activement, consciemment ou inconsciemment notre confiance en un autre homme et plus gravement à lui abandonner notre volonté, est malsaine et dangereuse. Tout remède, tout traitement ou toute intervention qui nous amènent à transgresser une des quelconques lois de la santé ou qui ne nous amènent pas à nous y conformer ne relèvent pas de la nature. Ce remède, ce traitement ou cette intervention seront chimiques et agressifs* ou surnaturels et ils devraient alors inviter toute notre méfiance, susciter l'exercice de tout notre bon sens et provoquer de notre part une recherche sérieuse sur leur enjeu spirituel et moral.

Il serait bon à ce point-là de connaître l'opinion de Dieu sur certaines activités qui, sous une forme pseudo-scientifique ou religieuse proposent à l'heure actuelle la guérison aux malades. Combien il peut être important dans notre vie d'écouter Dieu dire encore aujourd'hui: «Qu'on ne trouve chez toi personne qui exerce le métier de devin, d'astrologue, d'augure, de magicien, d'enchanteur, personne qui consulte ceux qui évoquent les esprits ou disent la bonne aventure, personne qui interroge les morts.[4]» Dans le Lévitique, Dieu réprouve tout homme ou toute femme qui ont en eux «l'esprit d'un mort ou un esprit de divination»[5]. Il prend aussi la peine de dire: «Vous n'observerez ni les serpents, ni les nuages pour en tirer des pronostics.»[6] Certes, il n'y a rien de nouveau sous le soleil. Ce qui se faisait autrefois se fait encore aujourd'hui. Mais Dieu ne change pas et ce qu'il

---

* Les accidents causés par une administration malheureuse de médicaments entraînent chaque année aux États-Unis seulement, 30 000 morts et 1.5 millions d'hospitalisation au coût de 3 milliards par an.

condamnait autrefois, il le condamne encore aujourd'hui. Car aujourd'hui comme hier, Dieu nous
aime et comme un tendre Père, il veut nous mettre à
l'abri de l'illusion, de l'exploitation et de la servitude.

Ces interdictions ne peuvent se comprendre
pleinement que si l'on reconnaît que le moteur de la
personnalité humaine, c'est la faculté de décider, de
choisir. Dieu nous a accordés la puissance de la volonté pour que nous l'exercions, chacun de nous per-
sonnellement et il nous supplie: Mon fils, «garde ton
cœur plus que toute autre chose, car de lui viennent
les sources de la vie.»[7] Un être humain qui a abdiqué
sa volonté pour quelque motif que ce soit n'est plus
libre. Il a perdu le privilège de choisir et de mener sa
vie selon ses désirs intimes. Or, il est terrifiant de découvrir que le lien commun de toutes les pratiques de
guérison dangereuses est l'abandon passif ou actif de
sa volonté propre entre les mains d'un individu qui se
présente comme un initié, un détenteur de pouvoirs
surnaturels ou un messager particulier et privilégié
de Dieu.

Ainsi, on ne peut le nier, il y a plusieurs manières de pratiquer l'art de guérir, mais il n'y en a qu'une
qui est approuvée de Dieu. Les remèdes divins sont
les simples agents naturels qui ne nuisent pas à l'organisme, le cerveau et toutes ses facultés y compris,
et ne l'affaiblissent pas. Combien de gens aujourd'hui,
maintenant, à l'instant même, sont en train de mourir
ou de mener une existence misérable car ils négli-
gent, ignorent ou méprisent l'usage de l'air pur et de
l'eau, la propreté corporelle et celle de leur lieu de
travail et d'habitation, une alimentation équilibrée et
une ferme confiance en Dieu. L'aération et la ventilation permanentes des bureaux et des chambres, l'en-
trée abondante de la lumière dans tous les recoins de
la maison, de l'école ou de l'usine sont considérés
dans notre société moderne comme des luxes que
beaucoup ne se sentent pas obligés de s'offrir. Les véritables remèdes naturels ne sont plus à la mode

parce que leur emploi judicieux exige un travail, des précautions et des efforts qui rebutent la majorité. En effet, la nature agit et reconstitue graduellement. Elle paraît lente à ceux qui sont pressés et qui exigent des résultats immédiats peu importe les conséquences. D'autre part, l'abandon d'habitudes malsaines demande un sacrifice. Combien il est humain de vouloir la santé en dehors des plus simples règles de l'hygiène! Mais si l'on persévère, on découvre bientôt qu'en cessant de la contrecarrer, la nature accomplit son œuvre avec sagesse et qu'en obéissant à ses lois, on est béni par un retour à la santé du corps et de l'esprit.

Pourra-t-on jamais suffisamment insister sur le fait que la santé ne relève pas du hasard mais qu'elle résulte de l'obéissance à des règles précises? Les athlètes le savent bien, eux qui se préparent avec le plus grand soin à un entraînement et à une discipline sévères. Cependant, les précautions à prendre pour réussir la vie ne sont-elles pas beaucoup plus importantes? La vie n'est pas un simulacre de bataille. Elle est pour chacun une lutte dont les résultats sont éternels. C'est pourquoi, le devoir de tout être humain sur cette terre, devoir qu'il a envers lui-même et envers l'humanité, est de s'enquérir des lois de la santé et de s'y conformer consciencieusement.

Lorsque la maladie s'est installée, la nature demande à être assistée afin de rétablir l'état normal et cela peut être obtenu par les remèdes les plus simples, surtout par ceux que la nature fournit elle-même: l'air pur avec l'art de bien respirer; l'eau pure en usage interne et externe; autant de lumière solaire que possible dans chaque pièce de la maison ainsi qu'un ensoleillement quotidien au grand air. Le patient doit apprendre à s'alimenter selon ses besoins réels et à s'habiller de manière à ne pas entraver la circulation sanguine dans une quelconque partie de son corps. Combien de maux résultent malheureusement d'une façon irrationnelle de se vêtir! La mode, dans tous les temps, et aujourd'hui encore, a été un tyran cruel auquel hommes, femmes et enfants ont sacrifié très souvent leur dignité et leur santé. Le patient ne doit pas permettre que l'on introduise dans son corps des médicaments qui, au lieu d'aider la nature, neutralisent son action. Certes, si toutes les personnes malades voulaient seulement se conformer aux principes d'hygiène et de diététique qui sont à la portée de tous, et ceci d'une manière constante, dans de très nombreux cas, elles guériraient de leurs maux. Mais pour en arriver là, il faut avoir confiance en Dieu.

En effet, lorsque l'on a confiance en Dieu, on croit en ce qu'il a créé pour le bonheur de l'homme et on est prêt, on est désireux de l'utiliser. Lorsque l'on a confiance en Dieu parce que l'on reconnaît qu'il est notre Créateur, l'illusion de retrouver la santé dans des pièces hermétiquement closes, souillées par les vapeurs nocives du tabac et où le soleil ne pénètre pas, disparaît... Lorsque l'on a confiance en Dieu, notre raison nous convainc que rien, mais absolument rien, ne peut remplacer, déplacer, ni rendre superflue l'obéissance aux lois du Créateur.

À notre époque de facilité et de recherche du fantastique, il est aisé de désirer et même d'obtenir l'illusion du miracle au cœur de la maladie. De nombreuses personnes se tournent ainsi vers la Bible et le nom de Jésus pour réclamer une guérison miraculeuse. Il est cependant dangereux de ne pas s'attacher à l'enseignement total du Christ qui nous a démontré par sa vie que la volonté de Dieu pour l'homme c'est d'abord et avant tout autre chose, *l'obéissance.* « Car la désobéissance est aussi coupable que la divination et la résistance ne l'est pas moins que l'idolâtrie. » [8] Ainsi, l'homme qui s'est rendu malade en violant les lois de la nature doit, dans sa quête de la santé, avant tout autre chose reconnaître sa désobéissance, rechercher la connaissance puis la soumission aux lois de la vie. Il peut ensuite utiliser les remèdes et les traitements naturels, c'est-à-dire, ceux que Dieu nous offre dans la nature. Il donnera par là la preuve qu'il a confiance en Dieu et cette confiance lui permettra de se tourner vers son Créateur et d'attendre de lui sa volonté quelle qu'elle soit. Le cri le plus puissant qu'un être humain puisse pousser sur cette terre est celui que le Sauveur du monde a lui-même poussé: «Mon Dieu, non pas ce que je veux mais ce que tu veux.»[9] Dieu voit la fin dès le commencement. Il connaît les cœurs des hommes, tous leurs secrets. Il sait si les malades pour les lesquels on désire la santé pourraient ou non endurer les épreuves s'ils devaient continuer à vivre. Il sait si leur vie serait un bien ou un mal pour eux et pour leurs semblables. Les prières ne doivent jamais revêtir la forme d'un ordre mais celle d'une supplication. Certes, Dieu peut opérer la guérison d'une manière visible et immédiate. Mais tous les malades ne sont pas guéris. Beaucoup s'endorment et quel privilège, quel réconfort, quelle absolue certitude d'avoir la santé à la résurrection, s'ils le font dans les bras du Seigneur...

Il faut avoir le courage de fuir toute promesse de guérison qui ne respecte pas scrupuleusement ces étapes et se détourner résolument de toute personne ou de tout système qui offre et même obtient la guérison sans enseigner et mettre en application toutes les lois de la santé, ou encore qui promet la libération de ses mauvaises habitudes sans le concours actif et conscient de notre volonté propre. Rechercher un miracle auprès de celui dont nous ignorons les lois, c'est se moquer de celui dont nous attendons la bénédiction. Ce n'est plus de la foi, c'est de l'hypocrisie. La foi, l'amour et la vérité, au contraire nous amènent à faire tout ce que nous pouvons faire avec les moyens que le Ciel a gratuitement mis à notre disposition. Pour le reste, la confiance en Dieu nourrira et soutiendra notre cœur au sein des plus grandes douleurs, des plus cruelles souffrances. Nous entendrons, par le biais de sa Parole, Dieu nous parler et nous dire avec tendresse: «Recommande ton sort à l'Éternel, mets en lui ta confiance et il agira.» [10] «Remets ton sort à l'Éternel et il te soutiendra, il ne laissera jamais chanceler le juste.» [11]

Dans notre monde pétri de misères innommables et innombrables, dans ce monde où chaque jour plus la santé devient un accident et la maladie la norme, un lieu commun, l'habituel, le lot quotidien de l'enfant aussi bien que de l'adulte (— une statistique du ministère de la santé publique des États-Unis estime que seulement un pour cent et demi de la totalité de la population américaine est en santé —) n'est-il pas urgent d'enseigner les lois de la santé? N'est-il pas encore plus urgent de les mettre en pratique? Je vous laisse répondre à ces questions. Puissent-elles vous amener à de nobles et fermes résolutions.

Cher ami lecteur, aujourd'hui, êtes-vous malade? Êtes-vous fatigué? Désirez-vous mourir tant l'existence n'a plus de sens pour vous? Êtes-vous triste? Votre cœur saigne-t-il? Est-il déchiré, divisé, vidé? Votre esprit est-il sur le point de sombrer dans la folie quand il pense aux morceaux éparpillés de votre vie brisée? Le remords, la certitude torturante de votre culpabilité sont-ils en train de ronger les forces vitales de votre être? Serait-ce là la cause de vos maladies, de vos malaises, de vos misères? Oh! combien vous avez besoin d'avoir confiance en Dieu! Combien vous avez besoin, à l'instant même de vous abandonner totalement entre ses mains. Combien vous avez besoin de croire qu'il se soucie de vous, qu'il vous comprend, qu'il est sensible à votre maladie, qu'il ressent votre souffrance... Pour avoir douté de ces réalités, mon cœur a longtemps souffert cruellement. Mais un jour, cette histoire vraie a changé ma vie: Un homme, le cœur déchiré par le deuil, jetait sa douleur et son ressentiment extrêmes au visage d'un pasteur qu'il était venu railler: «Dites-moi, où se trouvait Dieu, ce soir où mon fils a été tué sur le champ de bataille? S'il existe, où était-il?» Le pasteur, le regardant dans les yeux et la voix brisée par une émotion intense lui répondit: «Monsieur, Dieu ce soir-là, était à la même place que lorsque son propre Fils mourait sur une croix infâme pour vous et pour moi, à cause de vous et à cause de moi.» Ces mots «à la même place» ont souvent envahi mon esprit pour bannir de mon cœur le doute et la rancœur.

Le chemin du paradis retrouvé existe. Il passe au pied d'une croix rugueuse sur laquelle le Fils de Dieu pour nous avoir aimés au point de devenir semblable à nous, après avoir vécu une vie de pauvreté et de labeur, souffre une agonie insupportable, celle que les péchés du monde, les miens et les vôtres, inflige à son cœur qui bientôt se romp... Le Dieu de la Bible n'est pas l'Auteur du mal mais par expérience, il connaît la misère humaine et il a donné la preuve irréfutable qu'il y compatissait pleinement. Il est touché, il est meurtri par chaque souffrance, par chaque larme, par chaque mort. Vous ne pouvez continuer à vivre loin de lui. Il vous aime. Laissez-vous attirer par lui. Rendez les armes. Donnez-lui votre cœur.

Écoutez... C'est avec les accents d'un amour ineffable et patient qu'il vous dit: «Bien aimé, je souhaite que tu sois en bonne santé et que tu prospères comme prospère l'état de ton âme.» [12]

Dieu sait que sans la santé, la vie humaine est pénible. C'est pourquoi il nous offre encore aujourd'hui, non seulement la paix du cœur mais aussi les lois de la santé et, avec sa grâce, il nous invite à les suivre.

Entre le paradis perdu et le paradis retrouvé, la confiance en Dieu et l'obéissance aux lois de la santé — l'air pur, le soleil, la tempérance, le repos, l'exercice, un régime équilibré et l'usage de l'eau — offrent à tous une promesse de vie nouvelle, une vie en abondance.

PARTIE PRATIQUE

Comment cesser de fumer

L'habitude de fumer quoi que ce soit est incompatible avec les lois de la santé. Vous l'avez compris, n'est-ce pas? Mais comment cesser? Vous désirez être libéré mais vous êtes faible, esclave du doute et sous l'empire de votre mauvaise habitude. Vos promesses et vos résolutions ont été jusqu'à ce jour comme des toiles d'araignées. Vous ne pouvez dominer sur vos impulsions, vos désirs, vos gestes machinaux et automatiques. Le souvenir de vos promesses non tenues et des engagements auxquels vous avez failli affaiblit votre confiance en votre propre sincérité et crée en vous le sentiment que vous n'arriverez jamais à cesser de fumer. Mais vous n'avez pas lieu de vous désespérer. Aujourd'hui, ce dont vous avez le plus besoin, c'est de connaître la véritable puissance de la volonté. Le moteur de la personnalité humaine, c'est la faculté de décider, de choisir. Tout dépend de la volonté. Oh! combien il est important de la conserver tout entière à soi et de ne la céder à personne pour aucune raison au monde! Dieu nous a accordé la puissance de choisir: à nous de l'exercer. Vous pouvez n'avoir aucune force d'accomplir votre décision, mais vous pouvez quand même la prendre... Et lorsque vous aurez pris votre décision, lorsque vous aurez décidé de cesser de fumer, alors Dieu qui veut plus que vous-même que vous cessiez de vous détruire car il vous aime infiniment, oui, Dieu, alors vous libèrera lui-même et vous serez libre !

Maintenant, si vous avez décidé de cesser de fumer, il va falloir que vous manifestiez votre sincérité non en luttant contre le tabac (ça fait des années que vous le faites et vous savez très bien que cela n'a rien donné) mais en vous concentrant sur l'application des lois de la santé : l'usage interne et externe de l'eau, l'exercice, le repos, l'air pur, un régime équilibré et la confiance en Dieu. C'est avec joie que vous constaterez très rapidement les résultats souvent spectaculaires que donne une simple obéissance aux lois de la vie.

Ainsi, une nouvelle vie vous attend. Fixez-vous une date précise et dites-vous : « Tel jour je recommence à neuf, j'arrête de fumer. J'ai décidé de ne plus fumer. » Il serait bon que vous puissiez compter sur le soutien moral sincère d'un parent, d'un conjoint ou d'un ami. Mais mieux encore, n'oubliez pas d'accepter l'aide que Dieu vous offre quelque soit le moment ou les circonstances. Vous pouvez toujours faire appel à lui. Un mot, un soupir, un sanglot suffisent.

Pour marquer d'une façon précise le commencement de votre nouvelle vie et amorcer une sérieuse désintoxication, il est indispensable de faire 24 heures de jeûne au cours duquel vous ne prendrez que des liquides. Ce jour peut coïncider avec un congé afin que vous ayez le loisir de vous reposer dès que le besoin s'en fera sentir. Ainsi, veillez avec beaucoup de soin à prendre deux verres d'eau fraîche au lever, deux verres dans la matinée, deux verres dans l'après-midi, deux verres dans la soirée, et en plus un verre de jus de fruit *non sucré* et frais toutes les heures jusqu'au coucher. L'heure des repas se transformera en période d'exercice en plein air. Une bonne marche rapide, face au soleil si possible, et des respirations profondes sont souvent un excellent substitut d'un repas en période de tension, de fatigue ou de maladie. Rentré chez vous, une douche tiède débarrassera votre peau des déchets de la sueur et vous donnera un sentiment agréable de délassement. Le soir de ce premier jour de victoire, couchez-vous tôt, la fenêtre ouverte. Avant de vous endormir, parlez avec Dieu, ouvrez-lui votre cœur comme à un Ami intime et racontez-lui vos joies, vos déceptions, vos espoirs. Remerciez-le pour cette bonne journée et la victoire qu'il vous a accordée. Demain sera radieux.

Ce premier 24 heures peut être répété trois jours au maximum. Vous amorcerez ainsi une réelle désintoxication de la nicotine en particulier, qui est la cause du besoin et du désir de fumer. Il faut s'attendre donc à des symptômes de sevrage plus ou moins forts selon les cas. Il serait bon pour savoir où vous en êtes, de faire un journal de votre libération et d'y noter les symptômes ressentis, la fidélité à votre programme et les améliorations de votre état de santé. Attendez-vous à des vertiges, de l'irritabilité, des douleurs dans les yeux, à l'incapacité de se concentrer, à de la somnolence ou de l'insomnie, à des nausées, des vomissements, des crampes musculaires, de la fatigue. Mais courage! Tout cela est passager et sera bientôt définitivement du passé...

Vous pouvez après cette période initiale de désintoxication, entreprendre pendant un jour (ou deux ou trois au maximum) un régime composé exclusivement de fruits frais (pommes, poires, bananes, raisin, etc...) Divisez votre ration alimentaire en trois repas espacés de cinq heures. N'oubliez pas de prendre huit verres d'eau dans la journée et de faire une courte marche rapide avant ou après et si possible avant *et* après chaque repas. Pour remplacer l'effet stimulant que vous recherchiez auparavant dans

le café (le plus grand incitateur à fumer) vous pour-
riez essayer la friction au gant de crin qui exerce
une *réelle* stimulation en augmentant la circulation
sanguine périphérique. L'effet est vraiment agréable,
positif et se fait sentir immédiatement et pendant de
longues heures. Le moment idéal pour la pratiquer
est le matin après la douche. Le soir, si vous vous
sentez tendu, substituez à l'alcool et aux calmants (eux
aussi de grands incitateurs à fumer), un bain chaud
prolongé de quinze à vingt minutes.

Au bout de quelques jours vous aurez la surprise
de vous lever après une bonne nuit de sommeil et de
ne pas tousser! Vous vous sentez déjà mieux. Votre
teint s'est éclairci. La joie de vivre commence à vous
habiter. Les désagréables symptômes de sevrage sont
estompés et le goût de fumer disparaît. S'il devait
survenir, sachez que son meilleur antidote est l'eau
(prenez un grand verre d'eau et sirotez-le tranquille-
ment) et l'air (ouvrez votre fenêtre ou sortez dehors
et faites quelques respirations profondes). Maintenant,
il est important, pour fortifier votre volonté et éliminer l'angoisse, la tension et la fatigue, d'alimenter
votre sang en glucose, l'unique combustible de toutes
les activités de votre corps. Vous devez vous mettre
à manger des céréales complètes, une source de 100%
de glucose disponible sur une période de 6 à 10 heures, sous forme de véritable pain de blé entier, de
grains entiers (millet, sarrazin, riz brun), de bouillies,
de crêpes, de galettes. Les fruits frais (bananes) et
séchés (raisins secs et dattes en petite quantité)
pourront sucrer les céréales du matin et les légumes
frais et cuits agrémenteront les céréales du midi.
Faites une attention très spéciale au sucre, miel,
sirop d'érable et aux épices (poivre surtout) qui sont
des substances irritantes, énervantes et excitantes et
qui portent donc à fumer. N'oubliez pas vos huit
verres d'eau, vos deux ou trois douches quotidiennes,
vos marches, votre friction au gant de crin, vos respirations et faites trois repas bien espacés sans *aucun*
grignotage entre.

Vous ne l'auriez jamais cru, mais ça y est, vous ne fumez plus! Avez-vous compris combien le changement de vos habitudes alimentaires y est pour quelque chose? Certes, l'abandon du café, du sucre, des épices, de l'alcool et de la viande est un moyen efficace pour se débarrasser du tabac. Pourquoi ne pas continuer sur cette bonne voie? Manger sainement peut être très agréable. Pour vous en persuader, suivez les menus et les recettes de santé présentés dans ce livre. Ils ont l'avantage de vous aider à maintenir votre décision *sans grossir*.

Comment manger sans prendre de poids (excessif)

L'ex-fumeur craint très souvent de prendre du poids. Il faut comprendre qu'il ne fume plus et son métabolisme va se mettre à travailler plus efficacement. Son organisme va mieux utiliser les aliments. D'autre part, il va trouver un meilleur goût aux aliments. En effet, ses papilles gustatives si longtemps anesthésiées, en partie, par la nicotine recommencent à remplir leur rôle comme elles le doivent. Ainsi, parce qu'il se sent mieux et parce qu'il goûte plus et mieux, l'ex-fumeur a maintenant tendance à manger plus qu'auparavant. De plus, l'habitude, pendant des années, d'avoir constamment quelque chose dans la bouche, rend le désir de manger entre les repas plus fort. Là encore, il va falloir *décider* d'établir de nouvelles habitudes alimentaires.

Un groupe de médecins-spécialistes de l'hôpital Hinsdale, dans l'Illinois, a élaboré une liste de huit conseils qui, suivis honnêtement, vous assureront d'obtenir et/ou de conserver un poids normal.

● 1) Prenez un repas complet le matin. Le déjeûner est le repas le plus important de la journée. Plus que tout autre repas de la journée, il détermine votre poids, votre capacité de travail et votre bonne humeur.

• 2) Ne mangez strictement *rien* entre les repas. Buvez de l'eau chaque fois que vous ressentez une fringale. Faites aussi deux ou trois respirations profondes. Manger entre les repas, c'est gaspiller car le corps ne peut utiliser correctement ces aliments.

• 3) Éliminez autant que possible et le plus possible les aliments raffinés et sucrés de votre menu.

a) Éliminez l'emploi du sucre, du miel et des sirops: crème glacée, bonbons, gâteaux, tartes, confitures, gelées, fruits en conserve, céréales pré-sucrées (lisez les étiquettes), les boissons gazeuses. Consommez de véritables jus de fruits. Sucrez vos céréales avec des bananes et des raisins secs. Consommez des fruits frais.

b) Utilisez des céréales complètes: riz complet et non riz blanc; pain de blé entier et non pain blanc; céréales cuites et non céréales sèches sous forme de croustilles.

c) Ne prenez aucune boisson alcoolisée.

• 4) Réduisez de beaucoup la consommation des graisses animales et végétales. (huile, margarine, beurre)

a) Devenez végétarien, au moins à temps partiel.

b) Éliminez le gras du lait en employant du lait écrémé. Abandonnez l'usage du fromage, à l'exception du fromage blanc.

c) Apprenez à mettre sur votre pain des fruits. L'avocat écrasé est délicieux pour une base de sandwich salé. La banane est excellente pour une base de sandwich sucré.

d) Ne mangez pas plus de trois œufs par semaine.

● 5) Faites un repas de fruits frais ou de salade verte seulement, le soir. Mieux, ne mangez rien. Votre journée est finie. Vous ne brûlerez pas toutes ces calories. La plus mauvaise graisse se fabrique à partir du repas du soir, suivi d'une soirée assis devant la télévision.

● 6) Faites chaque jour 15 minutes de marche. C'est un strict minimum, mais au bout d'une année, elles vous auront fait perdre 5 kg.

● 7) Pensez aux lois de la santé et observez-les chaque jour: air pur, soleil, eau pure.

● 8) Ayez confiance en Dieu. Présentez-lui tous vos soucis et déchargez-vous en sur lui. Il prend soin de vous, chaque jour.

Menus et recettes de santé

En composant ces menus nous avons respecté les règles d'une alimentation équilibrée composée de céréales complètes, de fruits frais, de légumes crus et cuits, de noix, de graines et de légumineuses.

Le petit déjeuner est substantiel, le repas du soir léger. Nous vous encourageons à essayer ce régime et à en expérimenter vous-même les bienfaits. Les plus hautes autorités scientifiques américaines ont établi un plan de nutrition nationale et leur but est d'amener chaque habitant de ce pays à avoir une ration alimentaire quotidienne composée d'environ 65% d'hydrates de carbone complets (céréales entières, fruits, légumes) de 25% de lipides et de 10% de protéines. Ces menus et recettes vous aideront à atteindre cet idéal pour la santé, la vigueur et la longévité. De plus, ils vous permettront de suivre à la lettre les recommandations des médecins spécialistes de l'hôpital Hinsdale (E.U.) et ainsi de retrouver et/ou de maintenir un poids adéquat.

Nous donnons la recette de tous les mets qui dans les menus ont une astérisque.

Dimanche

Matin: Corbeille de fruits frais
Crêpes de blé entier avec
Crème aux bleuets*

Midi: Batonnets de carottes et céleri
Potage de légumes frais
Millet savoureux*
Poireaux en vinaigrette*
Pain sec frotté à l'ail

Soir: Un verre de jus de légumes
Craquelins de blé entier

Crème aux bleuets

1 tasse de bleuets frais ou congelés
1 banane bien mûre
3 dattes dénoyautées
$1/4$ tasse de lait écrémé ou de soja

Liquéfier le tout au mélangeur. Peut-être réfrigéré dans des formes et servi une fois démoulé, comme un flanc. Délicieux et amusant pour les enfants.

Millet savoureux

1 tasse de millet légèrement grillé dans une
  poêle bien chaude et sèche
1 tasse d'oignon haché
1 tasse de céleri haché
1 c. à thé de poudre d'ail
1 c. à thé de sel
2 tasses d'eau

Mélanger le tout et cuire à feu vif environ 20 minutes. Verser dans un plat à gratin et cuire au four encore 40 minutes à 180°C (350°C). Servir sans tarder.

Poireaux en vinaigrette

Nettoyer et laver de gros poireaux. Les faire blanchir dans de l'eau bouillante 3 à 4 minutes. Les couper en rondelles. Les faire macérer 15 minutes dans suffisamment de jus de citron. Servir assaisonné de sel et d'ail pilé et garni de persil et de ciboulette hachés.

Lundi

Matin : Un grand verre de jus de raisin
Gruau aux raisins*
Pain séché au four

Midi : Salade verte à l'huile d'olive,
au jus de citron et à l'ail
Steaks de sarrazin* avec persil
et rondelles d'oignon frais
Pommes de terre au four
Petits pois frais ou congelés avec
fines herbes
Pain de blé entier avec un demi
avocat écrasé

Soir : Carottes rapées fin
Pain sans levain*
Avocat écrasé

Gruau aux raisins

1 tasse de flocons d'avoine
3 tasses d'eau
3 c. à s. de raisins secs
3 c. à s. de noix de coco râpée sans sucre
une petite pincée de sel

Faire cuire à feu doux les flocons dans l'eau. Vers la fin de la cuisson ajouter les raisins secs. Réduire en poudre la noix de coco dans un petit moulin à café. L'ajouter aux autres ingrédients. Remuer et servir immédiatement. C'est un bon plat réconfortant.

Steaks de sarrazin

(recette de L. R.)

1 tasse de sarrazin rôti (kasha)
1½ tasse d'eau

Faire cuire 15 à 20 minutes à feu doux et à couvert sans remuer, ni enlever le couvercle. Pendant ce temps émincer un gros oignon et le faire revenir dans 1 c. a s. d'huile d'olive avec 1 c. à café d'origan ou de thym. Quand c'est presque cuit ajouter:

1 tasse de champignons de conserve égouttés
et émincés

Lorsque le sarrazin est cuit, le retirer du feu et le laisser refroidir, juste ce qu'il faut pour pouvoir le travailler avec les mains.

Ajouter:

3 c. à s. de sauce Tamari
3 c. à s. de graines de sésame moulues
4 c. à s. de farine de riz complet

Bien pétrir le tout et faire une sorte de pain que l'on peut débiter en belles tranches épaisses et rôtir au four jusqu'à ce qu'elles soient grillées des deux côtés. (Les retourner)

Pain sans levain

1 tasse de son
4 tasses de farine de blé entier
½ tasse d'huile
1 c. à thé de sel
1⅓ tasse d'eau
2 c. à s. de lécithine en granules

Mélanger au mélangeur les 4 derniers ingrédients. Verser sur les 2 premiers ingrédients bien mélangés. Bien pétrir. Former de petites boules que l'on écrase entre les paumes de la main. Placer sur une tôle à biscuits saupoudrée de semoule de maïs. Cuire 35 minutes à 180°C (350°F).

Mardi

Matin: Fruits frais
Bouillie de millet*
Pain de blé entier
Crème à tartiner aux graines*

Midi: Salade de chou rouge râpé
Pâté de lentilles*
Pain de blé séché
Tomates en tranches à la ciboulette
Brocoli cuit à la vapeur avec
jus de citron

Soir: Raisin frais
Biscottes de seigle
Purée d'amandes*

Bouillie de millet

1 tasse de millet en grains décortiqué
4 tasses d'eau

Faire cuire à feu doux environ une heure ou jusqu'à ce que tout le liquide soit absorbé. Retirer du feu et ajouter

1/2 tasse de lait écrémé ou de lait de soja
1/2 tasse de raisins secs
1/2 c. à café de vanille

Réduire le tout en purée dans le mélangeur. Servir dans des coupes individuelles. Garnir avec une fraise fraîche ou congelée. Peut se consommer immédiatement ou se réfrigérer. Se démoule alors très bien et remplace agréablement les gelées, puddings et flancs trop riches en sucre.

Crème à tartiner aux graines

¹/₂ tasse de graines de sésame
    moulues très finement
¹/₂ tasse de graines de tournesol moulues
¹/₂ tasse de poudre de caroube
¹/₂ tasse d'eau
12 dattes dénoyautées
1 c. à café de vanille

Mettre les 3 derniers ingrédients au mélangeur et bien liquéfier. Mélanger correctement les 3 premiers ingrédients. Passer le tout à la mixette et obtenir une pâte onctueuse. C'est une excellente crème à tartiner. C'est aussi un bon crémage à biscuits secs ou à gâteaux (si on y tient).

Pâté de lentilles

1¹/₂ tasse de lentilles cuites
1 tasse de millet cuit
¹/₂ tasse de flocons d'avoine
¹/₄ tasse de tomates en boîte
2 œufs battus
1 gros oignon émincé
1 tasse de céleri haché
1 c. à s. de sauce Tamari
du sel et du basilic selon le goût

Bien mélanger le tout et le placer dans un plat à gratin. Cuire 1 heure au four à 180°C (350°F)

Purée d'amandes

Prendre ¹/₂ tasse d'amandes brunes. Les mettre en poudre fine dans un petit moulin à café. Verser dans un petit bol et faire une pâte homogène avec environ ¹/₄ tasse de lait écrémé, de soja ou d'eau. Très nourrissant sur du bon pain complet.

Mercredi

Matin: Salade de fruits frais
Millet grillé*
Pain
Beurre de dattes*

Midi: Salade verte
Carottes à la vapeur
Rôti végétarien*
Haricots verts avec échalottes et persil

Soir: Tranches de tomates et concombres
Pain de blé, entier avec
Beurre de tournesol*

Millet grillé

Cuire à feu doux 1 tasse de millet dans 4 tasses d'eau. Lorsque toute l'eau est absorbée étaler le millet sur un plat peu profond et réfrigérer. Le lendemain découper en carrés et les griller à la poêle. Servir chaud.

Beurre de dattes

1 tasse de dattes dénoyautées et
coupées en morceaux
1/2 tasse d'eau

Faire bouillir 6 à 8 minutes en remuant constamment jusqu'à ce que le mélange soit lisse. Pour varier et faire moins sucré, on peut utiliser 1/2 tasse de dattes et 1/2 tasse de pommes râpées.

Rôti végétarien

Faire tremper un pain de blé entier dans juste assez d'eau pour que le pain l'absorbe. Assaisonner avec du persil, de l'ail, du sel, du laurier et du thym.

D'autre part faire revenir trois beaux oignons dans 1 c. à s. d'huile d'olive et les faire blondir. À la fin de la cuisson y verser une tasse de champignons frais coupés en tranches. Ne cuire que 2 ou 3 minutes.

Mélanger le pain trempé, les oignons, les champignons. Ajouter deux œufs battus et environ 6 noix de Grenoble fraîchement décortiquées et émiettées.

Mettre le tout dans un moule et cuire environ 20 minutes dans le four à 180°C (350°F). C'est un plat élégant et savoureux que l'on peut garnir avec de la laitue et des tomates fraîches, une fois démoulé. Bon chaud ou froid.

Beurre de tournesol

½ tasse de graines de tournesol
  très finement moulues
¼ tasse d'eau
¼ c. à café de poudre d'oignon
du sel
une branche de persil finement hachée

Bien mélanger le tout et obtenir une pâte onctueuse.

Jeudi

Matin: ½ pamplemousse
Bouillie de maïs*
Petits fruits frais ou congelés
Pain grillé avec crème de pruneaux*

Midi: Salade de carottes avec persil et ail
Betteraves au four
Escalopes de millet et sarrazin*
Pain avec mayonnaise d'acajou.*

Soir: Salade de chou vert râpé sur
tranche de pain de blé entier

Bouillie de maïs

1 tasse de semoule de maïs
4 tasses d'eau froide
une pincée de sel
2 tasses de pommes râpées
¼ tasse de raisins secs

Verser en pluie la semoule dans l'eau. Faire cuire à feu doux. Ajouter les autres ingrédients. Placer dans un plat à gratin. Cuire 45 minutes à 180°C (350°F) On peut aromatiser cette bouillie avec ¼ c. à café de graines d'anis.

Crème de pruneaux

Faire tremper de gros pruneaux dans suffisamment d'eau environ 12 heures. Les dénoyauter et les réduire en purée au mélangeur avec leur eau de trempage. Incorporer 2 c. à s. de jus de citron à la crème et servir sur du pain en guise de confiture.

Escalopes de millet et de sarrazin

(recette de L. R.)

1 tasse de farine de sarrazin
1 tasse de farine de millet
2 c. à s. pointues de farine de riz
2 tasses d'oignons hachés
2 c. à s. d'huile d'olive
1 c. à café d'origan ou thym en feuilles
20 à 30 olives dénoyautées
2 c. à s. de sauce Tamari

Faire cuire les oignons qu'on aura finement émincés dans les 2 c. à s. d'huile d'olive avec la c. à c. d'origan ou de thym, jusqu'à ce qu'ils soient très tendres. Faire cuire à couvert et à feu doux. (On peut ajouter ½ tasse d'eau si nécessaire.) Vers la fin de la cuisson ajouter la sauce Tamari.

Quand les oignons sont cuits, en réduire la moitié en purée et garder le reste tel quel.

Mettre tous les ingrédients dans un plat, bien mélanger le tout, ajouter juste ce qu'il faut d'eau pour en faire une pâte assez épaisse qui ne coule pas, mais pas trop sèche (environ ¾).

Faire des escalopes pas trop épaisses que l'on cuit à la poêle avec un peu d'huile. Les déposer sur du papier absorbant avant de les mettre sur un plat de service. Servir chaud. C'est vraiment bon.

Mayonnaise d'acajou

½ tasse de noix d'acajou
1 tasse d'eau
2 c. à s. de jus de citron
½ c. à café de sel
une pincée de poudre d'ail

Liquéfier les noix d'acajou au mélangeur dans la tasse d'eau et cuire jusqu'à ce que le mélange épaississe. Ajouter le reste des ingrédients dans l'ordre nommé.

Vendredi

Matin: Fruits frais
Crêpes de sarrazin avec
Crème aux bananes*

Midi: Crudités variées
Riz brun aux échalotes
Pain pita avec
Purée de pois chiches*

Soir: Pommes fraîches

Crème de bananes

Éplucher deux bananes très mures et les congeler dans un sac en plastique.

Une fois congelées, les couper en rondelles dans le mélangeur et les liquéfier avec 6 dattes dénoyautées et $1/3$ tasse de lait écrémé ou de lait de soja. Servir immédiatement. Excellent sur des crêpes, des fruits frais ou comme substitut de crème fouettée.

Purée de pois chiches

2 tasses de pois chiches cuits
$^1/_2$ tasse de graines de sésame
1 gousse d'ail
du sel selon le goût
1 c. à s. de persil haché
3 c. à s. de jus de citron

Mettre le tout au mélangeur et réduire en purée en utilisant juste assez d'eau de cuisson pour permettre aux lames de tourner. Fourrer du pain pita avec la purée saupoudrée de poudre d'ail. Garnir de germes de luzerne ou de feuilles de laitue.

Samedi

Matin: Bananes mûres
Granola
Compote de pommes sans sucre
Pain de blé entier avec
Crème d'abricot*

Midi: Salade d'épinards frais
Lasagne aux lentilles*
Asperges à la vapeur
Pain sans levain avec
Farce aux olives noires*

Soir: Raisins verts et rouges
Biscottes de seigle

Crème aux abricots

Faire tremper 12 heures des abricots séchés dans suffisamment d'eau. Mettre le tout au mélangeur et réduire en purée. Servir sur du pain en guise de confiture.

Lasagne aux lentilles

Préparer la sauce suivante:

> 1/2 tasse de piments verts
> 1 tasse d'oignons hachés
> 2 gousses d'ail
> 1 tasse de lentilles sèches
> 2 tasses de bouillon de légumes
> 1 tasse de sauce tomate
> 1/4 c. à thé de basilic
> du sel

Faire revenir les oignons, le piment et l'ail jusqu'à ce qu'ils soient tendres. Verser les lentilles et le bouillon. Amener à ébullition. Réduire le feu, couvrir et cuire environ 30 minutes ou jusqu'à ce

qu'elles soient tendres. Verser les autres ingrédients. Laisser mijoter encore un peu.

Faire cuire les lasagnes dans de l'eau salée.
Les égoutter. Les disposer dans un plat de service
et recouvrir chaque couche d'une généreuse portion
de sauce. Répéter les couches en alternant les
lasagnes et la sauce. Finir en recouvrant le tout
de sauce. Servir chaud.

Farce aux olives noires

$^1/_4$ tasse d'olives noires dénoyautées
$^1/_2$ tasse de graines de tournesol moulues
2 c. à s. d'huile d'olive
2 branches de céleri haché fin
1 gousse d'ail pilé

Bien mélanger tous les ingrédients.

Références

Qu'est-ce que l'homme?

1. Genèse 1 (26).
2. Genèse 2 (27).
3. 1 Corinthiens 15 (45, 47).
4. Genèse 1 (27).
5. Genèse 2 (16, 17).
6. Genèse 2 (15).
7. Genèse 1 (29).
8. Genèse 2 (18).
9. Genèse 1 (28).
10. Genèse 1 (16-19); 2 (1-3).
11. Genèse 3 (19).
12. Ecclésiaste 9 (6).
13. Ecclésiaste 9 (4, 5).
14. Ecclésiaste 9 (7-10).
15. Matthieu 22 (32).
16. Esaïe 8 (19).
17. 1 Thessaloniciens 4 (13).
18. Job 7 (9-10).
19. Psaumes 115 (17).
20. Esaïe 38 (18-19).
21. 1 Corinthiens 15.
22. 1 Thessaloniciens 4 (15-18).
23. Matthieu 24 (30, 31).
24. 1 Timothée 4 (4).
25. Psaumes 103 (14).
26. Job 10 (8-12).
27. Psaumes 139 (13-16).
28. 1 Corinthiens 3 (16, 17).
29. 1 Corinthiens 6 (18).
30. 1 Corinthiens 6 (15).
31. Lévitique 18 (22).
32. Lévitique 20 (13).
33. Romains 1 (24-27).
34. Exode 20 (14).
35. Deutéronome 22 (5).
36. 1 Corinthiens 6 (10). Lire également le verset (11). Le pardon, la purification et la victoire existent pour chacun de ces esclavages.
37. Lévitique 19 (28).
38. Lévitique 19 (28).
39. Lévitique 19(27); 21 (5); Deutéronome 14(1).
40. Genèse 2 (20-24).
41. Voir du même auteur «Les cinq dimensions de la sexualité féminine», Publications ORION inc., Québec.
42. Jacques I (17).
43. Psaumes 8 (5,6).

L'air pur

1. Dr J. Pourcel, m.d. *Méthodes naturelles et santé,* p. 143.
2. Ibid, p. 142.
3. Ibid, p. 145.
4. 2 Pierre 3 (11 à 13).

Le soleil

1. Dr Ross Campbell, m.d., *Comment vraiment aimer votre enfant.*
2. Ecclésiaste 11 (7).
3. Psaume 74 (16).
4. Luc 21 (25-28).
5. Apocalypse 21 (1).
6. Esaïe 30 (26).

La tempérance

1. Danièle Starenkyj, *Le mal du sucre.*
2. Philippiens 4(6-8).
3. Aristote, *L'Éthique de Nicomaque,* Livre 11, chapitre VI.
4. Romains 5(6-8).

Le repos

1. Dr J. Pourcel, *Méthodes naturelles et santé,* p. 158.
2. Matthieu 11 (28).
3. Exode 20 (8 à 11).
4. Ezéchiel 20(12).
5. Marc 2(27).
6. Esaïe 56(2).
7. Ecclésiaste 5(11).
8. Psaume 4(9).

L'exercice

1. Dr Schneider, *La santé par les aliments,* p. 13.
2. Ibid. p. 334.
3. Ibid. p. 335.
4. Genèse 2 (15).
5. Marc 6 (3).
6. 1 Thessaloniciens 4 (11-12).

Un régime équilibré

1. Proverbes 14 (30).
2. Matthieu 15 (11, 19-20).
3. Proverbes 17 (22).
4. Genèse 2 (17).
5. Genèse 1 (29).
6. Genèse 1 (30).
7. Genèse 3 (4).
8. Genèse 3 (22).
9. Genèse 3 (18).
10. Genèse 6 (5).
11. Genèse 6 (11-13).
12. Genèse 9 (3).
13. Genèse 9 (4-5).
14. Lévitique 7 (26).
15. Lévitique 7 (23).
16. Lévitique 7 (17).
17. Lévitique 20 (25-26).
18. 2 Corinthiens 6 (17).
19. 1 Corinthiens 10 (31).

L'usage de l'eau

1. Jean 4 (13-14).
2. Jean 7 (37-38).
3. Apocalypse 11 (18).
4. Romains 8 (22).
5. Job 12 (7-9).
6. Revue *Age Nouveau,* Paris, fév. mars 1959, p. 12.
7. *Manual of Hydrotherapy and Massage,* Pacific Press Publishing Association, Mountain View, Californie 1964.
8. Jérémie 2 (13).
9. Jean 4 (15).

La confiance en Dieu

1. Genèse 1 (31).
2. Genèse 5 (1).
3. Esaïe 2 (22).
4. Deutéronome 18 (10-11).
5. Lévitique 20 (27).
6. Lévitique 19 (26).
7. Proverbes 4 (23).
8. 1 Samuel 15 (23).
9. Matthieu 26 (39).
10. Psaumes 37 (5).
11. Psaumes 55 (23).
12. 3 Jean (2).

Table des matières

Achevé d'imprimer
en février 1990
MARQUIS
Montmagny, Québec, Canada